いのちの声を聴く

シャムレッフェル レックス 著
SCHAUMLEFFEL REX

関東図書

いのちの声を聴く＊目次

第1章　失いかけた命を取り戻すまで

第3章　治癒力が目覚める〝こころの重荷〟の下ろし方

第4章　こころとからだに効く癒しのメソッド

第5章 この世と命の真実に触れる〝明晰夢〟

第6章　牧師から僧侶になった僕が伝えたいこと

第7章　病気に縮こまらず思い切り人生を楽しむ方法

第8章　楽しい〝死のプラン〟〝死後のプラン〟を練ってみよう

はじめに

はるか昔、紀元前460年頃――。古代ギリシャに生まれた〝医学の祖〟ヒポクラテスは、「我々のからだの中には100人の名医がいる。その名医とは、自然治癒力だ」という言葉を残している。

また紀元130年頃に生まれ、ヨーロッパ医学の基礎を築いた医師ガレノスは、「天はもっとも強く信じる者を、もっともよく癒す」と言った。

そして1951年、東京に生まれたドイツ系アメリカ人、シャムレッフェル・レックス（僕）は、「まさにそのとおり！」と膝を叩いて共感している。

僕が末期がん患者となって、主治医に余命半年と告げられてから、早いものでもう10年が経つ。たまたま受けた人生初の人間ドックで腎臓にがんが見つかったときは、すでに末期のステージⅣだった。

ところが余命の延長記録は今も着々と更新中で、医師たちからは「普通では考えられない」「あなたは非常に例外的な患者さんです」というお褒めの言葉をいただいている。

ここまで生き延びてくることができた背景には、もちろん確固たる理由がある。

一時は生きることをあきらめかけてしまった僕だったが、家族のある言葉によって、生来のバイタリティ旺盛な自分を取り戻すことができた。そして猛烈にがんと健康について勉強し、ありとあらゆる治療法や健康法を実際に試して、僕にとって効果的なものを発見することができたのだ。

こうした奮闘とその成果については、2021年に出版した『「がん」の上手な手なずけ方』(悠々舎・東京六法出版)という書籍で詳しくご紹介している。先進医療のメカニズムから、人間の命の精密な仕組みまで、深遠な世界をめぐる冒険の記録だ。

ただし、こうした成果を得ることができたのは、僕が生き抜くと決意したこと、希望を持ってワクワクと楽しみながら治療とケアを続けたこと、新たな生きる目的を見出したことなど、こころの在り方が大いに関係している。むしろ、こころに強さと明るさを取り戻すことができなかったら、がんに立ち向かうことなどできず、とっくに〝あの世の住人〟になっていたと思う。

こころのコンディションを整えることは本当に大切だ。積極的に治療を受けるようになることはもちろん、からだに対して直接的にポジティブな効果がある。自然治癒力を最大限に発揮してがんに打ち勝つための、重要な基盤になるのだ。

実際にこころが免疫力をはじめ、からだに与える作用については科学的検証が進んでいて、今では心の面からがんにアプローチする「精神腫瘍学（サイコオンコロジー）」という新しい医学のジャンルも登場している。

あなたもきっと〝笑うこと〟がストレスや痛みを緩和し、病気の治癒に貢献するという話を耳にしたことがあるだろう。僕らがお腹を抱えてワッハッハと笑うと、がんを攻撃するＮＫ細胞は活性化し、インターロイキンという炎症物質も減少する。またアメリカの厚生労働省にあたる国立衛生研究所（ＮＩＨ）は20年以上も前から、祈りや瞑想などが病気のケアに広く使われ、効果もあることをレポートしている。

今では日本においても、進んだ病院ではがん患者に対して、カウンセリングやグリーフケア（悲嘆のケア）、宗教者によるサポートをはじめ、瞑想やリラクゼーションテクニックの指導、音楽療法、アロマテラピー（芳香療法）、アートセラピー、アニマルセラピーなどをおこなっている。

ところが残念なことに、そういった病院はまだ少数派で、がん患者さんの多くも、こころのケアを置き去りにしているのが現状だ。

この本を手に取ったあなたは、ご自身か、あるいは身近にいる大切な方が、がんや重い病気を患っていることと思う。そんなあなたは日々、平和な気持ちで幸せを味わい、明日を楽しみに過ごすことができているだろうか？

中には、人生最大ともいえるピンチを受け止めることに必死で、「とても病気と闘う気持ちになどなれない」「やりきれない」「怖くてたまらない」「悲しみにくれている」という人もあるだろう。

でも、あなたはその状態から抜け出して、真っ直ぐな希望を持ち、病気と闘いながら、人生を再び楽しむことができる。僕自身が、そのひとつの証明になっていると思う。

僕は末期がんを宣告されてから、すべての仕事を退き、自分の命のマネジメントに専念した。でもそれは、たんに治療に明け暮れるだけの日々ではなかった。

家族と過ごす幸せを存分に味わうことができた。

からだに備わっている自然治癒力の、精妙な働きに感動することもしばしばだった。

「死ぬまでにしたいことリスト」を作ったことで、与えられた命をどう使うかを深く考えることができた。

そして思い切って伊東の温泉宿泊施設を買い取り、健康養生ホテル「RCSセミナーハウス」をオープンした。

ゲストに体質改善のためのがん養生セミナーを提供すると、たくさんのゲストに奇跡が起こったことも、胸を打つような出来事だった。

さらに僕が長年、経験してきた明晰夢（めいせきむ）や、高齢の母を見送る経験を通じて、命についてのスピリチュアルな教えをさまざま受け取ることもできた。

そして今、もと牧師だった僕は、ある考えのもと曹洞宗の僧侶になった。


僕のからだには、今も35か所にがんが散らばっているので、ときおり事件に見舞われる。痛みがひどくなって入院したり、放射線治療の影響で大腿骨を骨折して手術を受けたり、ひどく咳き込んだとき食道にできていたがんが口からポロリと出てきたり、仰天することが次々と起こる。でも、僕は幸せに今を生きている。

この本では、こうした僕の経験をひとつのサンプルにしながら、がんを中心とした重い病気を抱えている方やそのご家族が、こころを通じて健康や幸せを取り戻していく方法をご案内していきたい。僕が2014年にはじめて出版した『医師が知らない 余命を延ばすがん養生生活』の内容も再録し、盛りだくさんの内容でお届けするつもりだ。

こころにしなやかな強さを携えて、悠々と楽しく日々を暮らし、がんを上手に手なづけていこう。そのお手伝いができれば、僕はこころから幸せに思う。

第1章

失いかけた命を取り戻すまで

「人生の大事件」は平和な日常にやってくる

がんの宣告を受ける――。それは誰にとっても、人生最大級の大事件だ。長い人生の中でも、これほど嫌なニュースには、そうそうお目にかかることはないと思う。

体調にちょっとした異変があって「もしかしたら悪い病気かな」と嫌な予感がしていた人。勤め先の健康診断がきっかけでがんが見つかり、青天の霹靂（へきれき）だったという人。状況はさまざまだし、進行レベルによっても受け止め方は違ってくる。それでも「自分の命が脅かされている」という恐怖や衝撃を、程度の差はあれみんな味わったと思う。

衝撃を受けて頭が真っ白になった人もいるだろう。こころが麻痺したようになって、何も感じなかったかもしれない。「まさか、そんなはずはない」と信じられなかった人もいると思う。そのスタート地点から、みんなその人なりの道をたどって今がある。きっとそこには、数々の学びもあったに違いない。

僕が学んできたことをお伝えするにあたって、この第1章では、自己紹介がてら僕のケースをお伝えしておこう。


僕がからだの中に潜んでいるがんの存在を知ったのは、２０１1年3月に、たまたま受けた人間ドックがきっかけだった。60歳を前にして保険をかけかえる際に受けた、人生初の人間ドックだ。

保険会社の営業マンたちに勧められた千葉の亀田総合病院は、当時の日本で唯一、「国際標準規格ＪＣＩ」に合格した、医療の質が高い病院だ。

僕はここで、20万も30万もかかるフルコースではなく、9万数千円のＰＥＴスキャン（ペットスキャン＝ポジトロン断層法）の検査を受けた。保険会社の営業マンたちが、事前にアドバイスをしてくれたからだ。

彼らは「加入後3カ月は保険金がおりませんから、お受けになるのはそれ以降がよろしいですよ」「フルコースのメニューをオーダーする必要はありません。CTなりMRIなり、よさそうな検査を単品でオーダーしてください。万が一、それで病気が見つかっても、その後の精密検査や治療費は保険がききますから」、そう教えてくれた。

そうか、なかなかうまい手があるものだ、と思った僕は、素直にしたがいPETスキャンをオーダーしたのだ。この検査は、検査薬を血管に入れてしばらく時間をおいた後、画像撮影をするシンプルなものだ。とくに痛みや不快感をともなうこともなく、楽なものだった。

検査の手順をひととおり終えると、あれこれと世話を焼いてくれた病院スタッフから「結果はメールでお知らせします」と笑顔で送り出され、僕と妻の公子は、気持ちのいい潮風に当たり、ちょっとした遠足気分を楽しんで帰宅した。

ところが5日ほど経った頃、看護師さんから電話がかかってきた。

「先日ご説明しましたとおり、通常はメールでお伝えしているのですけれど、シャムレッフェルさんの診断結果については先生が直にお会いしてお話ししたいと言っています。どなたかご家族の方とご一緒に、こちらにお越しになることはできますか？」

そんな電話をもらったら、いかに楽天家な僕でも心配になる。この流れで呼び出されて「あなたはお歳に似合わぬ健康体です」と言われるわけはない。また些細な問題なら、メールを送って追加検査や再診を案内すればすむはずだ。

「何か問題がみつかりましたか？」心配になってそう尋ねると、「いえ、わたくしは看護師ですので、診断内容まではうかがっておりません」と答える。これはよくあるパターンだ。問い詰めても絶対に口を割ることはない。僕は日時を決め、妻をともなってうかがいますと電話を切った。

僕は不安な気持ちを抱えたまま、診断の日を待つことになった。嫌なものだけれど、こうして段階を踏んで告知まで進むケースは、ある程度の覚悟ができるし、告知の衝撃を少し先取りして身に受けることになるので、ダメージも幾分、やわらぐと思う。

そして、その後もいくつかの段階を踏んで、僕は深刻な現実を知ることになった。

人間ドックで見つかった画像検査の不吉な影

その日診察室で、腫瘍内科の担当医は、モニターに映した画像を僕と公子に示した。

モニターには、闇夜のように真っ暗な背景に、ぼんやりとブルーに透けた僕のからだが浮かび上がっていた。そしてからだのあちこちには、緑色の縁どりがある、赤く染まった塊が映っていた。画像の意味がわからない僕にも、それはなにやら不吉なものに見えた。

僕がＰＥＴ検査を受けた際、事前に検査薬を血管に入れられた。成分はブドウ糖と、微量の放射線を出す物質だ。先生は、僕らに解説をした。

「検査前に注入したお薬が、１時間ほど安静にしていただいた間に、全身に運ばれました。この画像は、お薬の中のブドウ糖が、どの場所にどのように取り込まれたか、その分布を示すものです。ブドウ糖は画像に映らないので、目印にした放射性物質が映っているわけですが、赤く染まっている部分は、ブドウ糖がとくにたくさん取り込まれたことを表しています」

なるほど。でもブドウ糖が取り込まれるのは、何かまずいサインなのだろうか？

すると先生は、サラリと核心を告げた。「これらの部分には、腫瘍ができていることが示されています。というのも、腫瘍はブドウ糖を大量に消費する性質があるのです」

え？　本当かい――。

画像で一目瞭然、僕のからだは腫瘍だらけだった。大きな塊が腎臓にあり、そのほかあちこちに散らばっていた。

先生の話は理解できた。よくない診断だということも事前にある程度、予想がついていた。それでも僕はこのとき、少しもピンとこなかった。

この日、先生は僕と公子にむかって「がん」とか「悪性腫瘍」という言葉を一切、使わず、慎重に説明をした。そして「確定診断をするには、精密検査が必要です。できるだけ早く、入院していただきましょう」、そう話を締めくくった。僕は半ば呆然としたまま、数日後には入院し、検査、検査、検査の日々に放り込まれた。

この時点では、がんである可能性が示されただけだ。それに僕にはからだの変調や自覚症状などまったくなく、自分では健康だと思い込んでいたので、「まさか」と信じられない思いだった。

でも画像を見たインパクトは強烈だった。からだの中でただ事ではない異変が生じていること。そして、それは動かしようもない事実だということが、クッキリと目に焼きつけられたように思う。そして精密検査をひととおり終えると、僕は厳しい診断結果を告げられた。

確定診断で突きつけられたがん宣告

「シャムレッフェルさん、あなたの組織細胞を精密に検査したところ、悪性腫瘍、がんであることがわかりました」

担当医は静かな声で、丁寧に、でもはっきりと告げた。

「腎臓にあるのがメインのがんです。大きさは7・5センチで、腎臓から飛び出ているような状態です。リンパ節にも塊になっているがんがあって、肺にもちらほら転移していますね。すぐにでも抗がん剤治療を始めたいと思います」

最初にPET画像を見せられたときから、この確定診断のときまで、自分ではジワジワと「これは本格的にまずいことになっているな」という思いを強くしていた。だからこの深刻な診断結果を聞いて、やっぱりそうか、とかみしめるような思いだった。

いろいろな考えが頭をよぎった。「もっと早く人間ドックを受ければよかったな」、そう悔やむ気持ちもあったけれど、現実的に無理な話だ。当時の僕は病気の気配どころか、食欲も体力も気力も充実した日々を送っていたのだから。

この日、先生からは、がんの一般的な治療法についても説明があった。外科手術、抗がん剤治療、放射線治療の3大治療法があるという話だ。しかし僕のケースでは、抗がん剤治療しかできないと、はっきり通告された。ただ先生は「手遅れなので、手術も放射線治療もできません」という厳しい表現ではなく、「この状態には適応ではありません」というマイルドな言い方をしていた。

たとえば外科手術については「あなたのがんはきれいな塊になっていなくて、血管や神経に複雑にからんでいるので、切除することが困難です」という具合だ。

また、がんの進行の度合いを示すステージの話もなかった。そして余命告知もされなかった。そのため、今思うと僕は自分の状態の深刻さについて、少々勘違いをしていた。

「僕の状態には、外科手術も放射線治療も『合わない』ということだろう」「プロがそういう治療方針でいきたいというなら、素直に従おう」という程度にしか考えなかったのだ。悪い現実を認めたくない、という気持ちが働いたのかもしれない。

実際の状態は、僕が解釈していたよりずっと厳しいものだった。

勝つために選んだ、アメリカ式・果敢な抗がん剤治療

がんを宣告された後、病院からインフォームドコンセントをとるための、丁寧な説明の場がもうけられた。

そのとき、ちょっと面白い提案があった。担当医の先生が「通常ですと治療方針をひとつに絞るんですが、シャムレッフェルさんの場合は日本人とアメリカ人、ふたつのＤＮＡをお持ちですから、日本人用の治療プランとアメリカ人用の治療プラン、両方をご案内しましょう」と言ったのだ。

聞くところによると、日本では僕のような病状の場合、まずインターフェロンを使って免疫力を高め、それで効果がみられなかったら抗がん剤を用いるのが「標準治療」だけれど、アメリカではさっさと強い抗がん剤を使うらしい。それで、あなたは日本生まれの日本育ちですけれど、アメリカ人ですから両方紹介しましょう、

ということだった。

へえ、ハーフの患者にはそんなことをしてくれるのか、と意外に思ったけれど、こういった選択肢を与えてもらえるのはありがたかった。実際に、僕は仕事の上でも生活の上でも、アメリカ式の考え方を好んで取り入れることがしばしばある。

「どちらをお選びになりますか？」先生にそう尋ねられ、現代医学的治療については、日本はアメリカとくらべて少し甘いかな、という印象を持っていたので、アグレッシブに取り組むアメリカ方式にしてください、とお願いして強い抗がん剤を服用することにした。

しかしこれが、思ってもみない事態を招いたのだ。

自力で突き止めた「ステージ」「余命」そして「5年生存率」

宣告から4日後、抗がん剤を飲み始めた。

このときは先生から余命告知をされていないので、僕は「治療をすれば治るもの」とすっかり思い込んでいた。そのため周囲の人々の深刻な様子とのズレに、なんとなくきょとんとしている感じだった。

そんな中、ぼくは空いた時間にインターネットで自分の状態や治療について調べ始めた。

亀田総合病院は、病室で携帯電話も使えるし、患者が自由にインターネットを楽しめる環境がととのえられていた。それで僕は自分のノートパソコンを持ち込み、ベッドの上で遅ればせながらがんについての情報収集を始めたのだ。それはもう、いろいろなウェブサイトを調べ上げた。

そこで初めて、がんには進行段階を示す「ステージ」と呼ばれるものさしがあるとか、ステージは軽いほうからⅠ、Ⅱ、Ⅲ、Ⅳとあって、ステージⅣの末期になると、もう基本的には治ることができないのだと知った。

ところが僕は、この重大な情報を先生から聞いていない。そこですぐさま先生をつかまえて「僕はステージいくつですか」と尋ねた。すると「シャムレッフェルさんの場合はステージⅣということになります」と教えてくれた。Ⅳだって――？

同時に、僕は半ば先生を問い詰める勢いで、ステージⅣとはどんな具体的な意味を持つのかを尋ね、これはがんの最終段階で、圧倒的に優勢となったがんを打ち負かすことはできない、治ることはできないのだとはっきり聞いた。

これが僕の病状の真実だったのだ。背筋がヒヤリと凍るような感覚だった。

さらに僕はインターネットで、もうひとつ重大なことを知った。自分のがんの5年生存率だ。この情報はウィキペディアの日本語版には書かれていなかったけれど、英語版にはしっかり記載されていた。

ステージⅣの腎臓がんの5年生存率は、4・6％。たったの4・6％だ。

もちろん黙ってその数字を受け入れるつもりなど僕にはない。先生をつかまえて「僕の場合、どのくらい時間がありますか？」と聞いた。するとｒ「あなたのがんは増殖が激しい種類のがんなので……」と、難しい顔をした。

実はこの点についても、僕はすでに調べ上げていた。インターネットの情報サイトにはもっと具体的に「この種類のがんは最速の場合、3か月で2倍に増殖する勢いがある」と書かれていた。

それで余命はどのくらいですか、とたたみ掛けるように尋ねると「何もしなければ6か月といったところでしょうか。抗がん剤治療がうまくいけば1年、あるいは2年くらいに延ばせる可能性はあります」、そう白状したのだ。

ここへきてやっと、僕は自分の切迫した状況を理解した。

「自分はこんなに死に近いところにいたのか」と愕然とする思いだった。人間ドックを受ける前、僕は体調に異常などひとつもなかった、まさか病気にむしばまれているなんて夢にも思っていなかった、それなのに、死がこんなにも自分の間近に迫っていたのだ。

同時に「もし保険のことで人間ドックを受けずにいたら、6か月たつ前にいきなり倒れて、あっという間に死んでいたのだな」「このタイミングでPETスキャンを受けてがんを発見できたのは、よかったのかもしれない」「これはいったいどういう運命のめぐり合わせなのだろう」、そんな思いもぼんやりと胸に浮かんでいた。

このがんがどのくらいに育ったら僕は死にますか？

ようやく厳しい現状を理解した僕は、先生にさらに踏み込んだ質問をした。

「僕の腎臓がんは7・5センチあるということですけれど、これが何センチになったら僕は死にますか？」

するとは先生は「それはわかりませんね。患者さんによって異なりますし、大きさで決まることでもないんですよ」と曖昧に答えた。そこで質問を少し変えてみた。

「先生は腎臓がんの患者さんが亡くなった後、解剖をすることがありますか？」

あるという答えだったので「そのとき、がんは何センチくらいありましたか？」と聞いてみた。すると先生は少し考えた後、「おおよそ15センチといったところでしょうか」、そう教えてくれた。

命の限界に達するのは、このがんが15センチに育った頃なのか――。僕はそう解釈した。ずっしりと胸にこたえる数字だった。

さて――。15センチという数字を聞いた僕は考えた。

僕のがんは悪くすると3か月で倍になる。今の大きさは7・5センチ。すると15

センチ四方の大きさになるまで6か月かかる。これは「余命6か月」という担当医の診断と一致する。

なるほど、そういうことか。いろいろな情報をひとつずつ集めると、より事態がはっきりしてくる。このままでは6か月の命、それは確かな見立てなのだろうと、認めざるを得なかった。ただ、そんな期限を受け入れるなんてお断りだ。

「5年生存率4・6％」の狭き門を通過するには

ステージⅣの腎臓がん患者の5年生存率は、4・6％。なんとしてもその中に入りたい。それにはどうしたらよいのか、突き止める必要がある。

「先生、調べたら僕の状態では5年生存率が4・6％ということですよね」

先生の表情をうかがい見ると、「ああ、まあそうですね」という反応だ。先生も認める数字なのだろう。僕はそのことに少し落胆しながら先を続けた。

「いったい何をしたら、あるいは何をするのをやめたら、その4・6％に入れますか？　5年以上の生存を果たした5％弱の患者さんと、ほかの95％の患者さんは、何が違ったのですか？」

僕の立場にあったら、誰だって知りたいことだと思う。生死を分けた鍵は何だったのか。自分が何をすれば生き残るグループに入れるのか——。

しかし「データはありません」、それが先生の答えだった。「それこそ、医者がみんな知りたいと思っていることですよ」、そんなふうにこぼしていた。

僕は本当に驚いた。がんの研究に、たくさんの優れた頭脳と長い時間と莫大なお金をかけながら、こんなシンプルなことを調査していないのだ。僕は気を取り直して別の質問をした。

「先生が実際に担当されたステージⅣの患者さんのうち、5年以上生きることができた患者さんは何％くらいですか？」

このとき、僕としては「治療をきちんと受けていただければ、7〜8%の方は5年を超えますよ」というような、希望を与えてくれる答えを期待していた。4・6という数字はすべての平均であって、一流の病院で質の高い治療を受ければ、もっと成績はいいのですよ、5年生存率も高い数字で実現されますよ、そう言ってほしかったのだ。ところが——。

「おひとりもいらっしゃいません」、先生は少し気まずそうに告げた。これは本当にショックだった。

ただし、先生が受け持った患者さんの中にはひとりもいなかったけれど、病院全体では1%ほどいたらしい。それを1年ほど後になって聞いたけれど、とにかくこのときの「ひとりもいない」という情報は衝撃だった。

先生のもとでは、5年生存することができた患者さんは0%。このままこの先生のもとで彼らと同じ治療を受けていたら、僕もそうなってしまう可能性が高い。何かほかの手立てを考えなくてはいけない、そう切実に思った。

そこで、まず診断と治療について、セカンドオピニオンとサードオピニオンを求めた。

セカンドオピニオンは、築地の「がん研究センター中央病院」、そしてサードオピニオンは、アメリカのテキサス州ヒューストンにある「ＭＤアンダーソンがんセンター」を選んだ。このがんセンターは、がん治療における世界トップレベルの大規模医療機関だ。

その結果、セカンドオピニオンもサードオピニオンも、亀田総合病院と同じ見解を示した。

僕は腎臓がん末期のステージⅣで、リンパや肺に転移があり、余命は6か月ほど。現代医学的治療でできることは抗がん剤治療のみ。僕の診断内容は確定した。

「死を迎える可能性」と「人生を締めくくる準備」

「治療はアグレッシブにいこう」、自分でそんなふうに方針を決めて、強い抗がん剤を飲むことを選んだのに、飲み始めてすぐ「これはとんでもない薬だ」と骨身に染みるように実感した。

僕が飲んだ抗がん剤の副作用は、実に強烈なものだった。味覚障害が起こって食べ物の味がすっかり変わってしまい、吐き気もあったので食事がろくにとれなくなった。鏡を見ると髪は真っ白。そのうち悲しいことに禿げてしまった。櫛でとかすと髪の毛がゴッソリ束になって抜けるのだ。その後また生えてきたけれど、これは本当にゾッとする体験だった。

さらに、全身がとにかくだるくてつらい。インフルエンザに罹ったときのように手足に力が入らなくなり、ペットボトルのふたを開けることも、タオルを絞ることもできなかった。いい年をしたおじさんが、看護師さんや家族にペットボトルを差し出して「ねえ、ちょっとこれ開けてくれる?」と頼まなくてはならないのだ。

さらに、手には発疹が広がって、足の裏は蜂に刺されたように痛んだ。とにかく全身がひどい有様で、意識を何かに集中することもできないから、テレビを見たり読書を楽しんだりすることもできない。

あまり急激に容態が悪くなったこともあって、僕は「死ぬまでにしたいこと」というリストを作ることにした。自分が死ぬ可能性を真っ向から受けとめて、人生を締めくくる準備を始めた、といえば聞こえはいいが、「もうダメだ」と内心しょげていたのも事実だ。

人生を仕舞うための作業。
心残りなくこの世を楽しむためのこと。
残していく家族のためにしておきたいこと。

病院のベッドの上であれこれ考えを巡らせて、細かい項目をたてると14項目になった。

したいことが14個しかないなんて少ないと思うかもしれないが、期限のあることなので、残念だけれどこのくらいに絞られてしまうのだ。たとえ「世界一のすし職人になる」という願いがあったとしても、僕はもうかなえられない段階にあった。

僕の「死ぬまでにしたいことリスト」

参考になるかどうかわからないけれど、実際に命の期限を突きつけられた僕がリストアップした「死ぬまでにしたいこと」をご紹介しておこう。

ひとつは「お墓の準備」だ。僕には「散骨をしてほしい」とか、「自然葬をしてほしい」とか、とくにそういった希望もなかったので、チラシ広告で適当な霊園のお墓がみつかったとき、さっさと買ってしまった。

墓石とセットでお得なお値段になっていたことも魅力的だったけれど、それにつられたわけではない。霊園の場所が高速道路のインターに近く、後々家族みんながお墓参りに行きやすい点が気に入ったのだ。僕のために面倒をかけたくないという思いもあったし、「お墓参りに行くのが面倒くさい」などと思われみんなの足が遠のいたら、死んだ後に淋しい思いをしてしまう。

そして「不動産の整理」と「財産の整理」。持っていても仕方のないものは処分して、株なども現金化して分配しやすいようにした。そういった残務処理的なことでいえば、「会社の仕事の引き継ぎ」も大切だ。

あとは「遺言を書く」。遺産の分配について、法定相続の遺産分割にあまり納得できなかったので、きちんと自分の希望どおりに相続されるよう、書いておく必要があったからだ。それに僕の母が存命だったので、この先、母が必要な介護などを受けながらできるだけ快適に生きていくためのお金を用意しておきたかった。

それからこれは絶対に必要な「部屋の掃除」。立つ鳥、後を濁さず。捨てるべきものはきちんと捨てて後始末をしなくては、後に残す家族に大きな迷惑がかかってしまう。死んだ後、家族にブツブツ文句をいわれたくなかったら、できるうちに大掃除をしておいたほうがいい。

ただし、僕自身はなかなか物を捨てられない性分だ。よく「1年使わなかったものは捨てろ」といわれるけれど、僕は「5年、10年使わなかったら、そろそろ捨てることを検討しようかな」というタイプなので、どんどん物が貯まっていく。

だから大掃除は本当に大変だった。気がついてみると、僕の持ち物の多くは、明らかに家族の誰にとっても価値がない。「箱根」とか「日光」と書いてあるお土産もののペナントなんて、あんなに大量に残されても迷惑に決まっている。昔ずいぶん流行って、観光地に行くとかならず買ってコレクションしていたけれど、全部、廃棄処分にした。

ほかにも、昔の恋人の写真や手紙をこっそり保管している人は要注意だ。それからパソコンの中にいろいろ秘密のものを入れてある人も、注意深く大掃除をする必要があるだろう。

短い余生の精一杯楽しい過ごし方

「死ぬまでにしたいことリスト」の中には、こういった「後始末」「残務処理」とは少し系統の違うものがある。

こころの気がかりを解消して、スッキリ旅立つためにとても重要なことだと思うのだが、僕は「お世話になった人への感謝」と「仲が悪かった人への謝罪」を、リストの項目に挙げた。

お世話になった人をどんなに大切に思い、感謝していても、自分が死んでしまったらもうお礼を言うことはできないし、その人のために何かをしてあげることもできない。だからその気持ちを伝えるとともに、形あるお礼を用意した。

反対に、仲違いをした人に対するこころ残りも、解消する必要がある。どのようないきさつがあったにしろ、関係が悪いままにしておくのは気持ちのいいものではない。お相手のほうだってそうだろう。

それに、今になってみれば「謝りたい」という気持ちがある。たとえ今でも「自分が正しかった」と思うような場合でも、部分的に謝りたいことがこころに残っているのだ。そのことを放ったまま、安らかに死ぬことはできない。

もちろん、謝ったからといって相手が「自分も悪かった」と握手を求めてくれるかどうかはわからない。それはまったく別のことだから期待せず、自分の思いを伝えるのがいいだろう。

リストにはほかに、この世を楽しみ、人生を味わうための項目もいくつか挙がった。

ひとつは、もし自分が歩ける状態だったら「海外旅行に出かけてカジノを楽しむ」。僕は今までラスベガスのカジノにいっても、1日100ドルとか、ちまちまとした遊び方しかしたことがなかった。死ぬとわかったからには、そんなケチなことはせず、せめて1日1000ドルくらい使ってみたいな、と思ったのだ。

それから、まだ行ったことのない国の美しい風景や美味しい食べ物も堪能したいと思い、公子と「どこがいいかな」「やっぱりスイスに行きたいね」などと候補地を探したりもした。しかし僕はがん患者だ。からだの都合がある。もし歩けなくなったときのことも考えておいた。


その場合は「国内で温泉めぐりをする」。ちょうどその頃、会社でキャンピングカーを買ったので、それに乗って温泉旅行に出かけたいと思った。キャンピングカーなら、少々調子が悪くなっても、ちゃんとベッドがあるから安心だ。

できればそのキャンピングカーで、東北の温泉をいくつか、3週間くらいかけてゆったりまわりたい。それがかなったら、四国を中心に西日本の温泉めぐりだ。景色のいいところをまわって、露天風呂に入って、本当の天国に行く前にこの世の天国を味わっておきたい。

旅行としては、ほかに「テキサスへのお墓参り」を挙げた。僕の父親はテキサスで亡くなり、お墓もそちらにあるので普段はなかなか行くことができない。それで死ぬ前にぜひお墓参りをして、きちんと挨拶をしておきたかったのだ。「どうせ死んだらあちらで会えるでしょう」と思うかもしれない。たしかにそうだが、こちらでの最後の挨拶もしておきたい。

もうひとつの願いは「毎日、マッサージを受ける」。僕にとってマッサージは、旅行に出たときや、特別なときだけに許される贅沢だった。それを毎日、受けてやる、そう決意した。でも実際には、毎日受けるというわけにはいかなかった。用事がある日も多いし、気分的にのらない日もあるので、せいぜい週に2~3回だろうか。それでも贅沢な気分を存分に味わうようになった。

あとは「お葬式の準備」。これも欠かせない。僕は家族に、お葬式にお花はいらないよ、と伝えてある。弔問客の皆さんからのお花はありがたくいただくけれど、家族からのお花は遠慮する。その代わり、僕が好きでしょっちゅう食べていたファストフードショップのハンバーガーを、棺の前にどっさり積んでもらえればそれでいい。

そして喪主の挨拶のとき、公子から弔問客のみなさんに、ぜひ伝えてほしいのだ。

「故人はこのハンバーガーを心から愛していました。そしてその愛ゆえに亡くなりました」と――。

別れの覚悟を秘めた、家族の思い出作り

慌ただしい日々は、瞬く間に過ぎていく。東京で桜が咲き始めた頃に人間ドックを受けて、病院に呼び出され、精密検査のため入院をし、がん宣告、すぐに抗がん剤治療をスタート――。事態が激しく動く中、あっという間にゴールデンウイークを迎えていた。

入院生活は味気ないし、治療といえば抗がん剤を飲むだけだ。僕は「病院にいても仕方がない」、そう虚しく思って退院した。抗がん剤は点滴ではなく薬剤を口から飲めばいいだけなので、自宅でできる。ほかにしてもらえる治療もないので、いる意味がないのだ。

先生からは「残された時間を大切に、お好きなように楽しんでお過ごしください」と送り出された。これは、そう遠くない将来、死んでしまう人間に言う言葉だ。余

命宣告だけでなく、僕はあらゆる場面で「君はもうすぐ死んでしまうんだよ」と言い聞かされているようだった。

退院した足で、僕は家族みんなと病院の目の前にある鴨川シーワールドに行った。このレジャー施設は僕が過ごした病室の窓からも見えていて、お見舞いにきてくれていた家族と、「退院するときには、少し寄って遊んでいこう」と話していたのだ。

本当はどこか本格的な旅行に出たかったけれど、当時の体調では、とてもそんなことは不可能だった。この頃、僕は抗がん剤のひどい副作用ですっかり消耗してしまい、自力で歩くことさえ難しくなっていたのだ。ボロボロになったからだで人生初の車イスに乗り、家族に順番に押してもらって鴨川シーワールドを巡った。

「たった2週間で一気に駄目になった」、僕はその現実にガックリと落胆していた。「このまま坂道を転がり落ちるように悪くなっていくのだろうか」「人はこうやって死んでいくものなのかな」、僕の頭にはそんな考えさえ浮かんでいた。

もちろん悲しい予感を抱えていたのは家族も同じだ。抗がん剤をスタートして以降、日替わりでさまざまな副作用の症状が現れ、みるみる弱っていく僕のそばで、公子をはじめ家族はショックを受けていた。

そして僕にもう先がないと覚悟した公子は「家族のささやかな思い出づくり」をしようと、レイナ、レイチェル、レイモンドの3人の子どもたちを退院の日に呼び寄せたのだ。

僕たち家族は、かつて子どもたちが幼い頃、アメリカのサンディエゴにあるシーワールドになんども行ったことがあった。3人はすっかり大きくなり、末っ子のレイモンドも大学生になっていた。でも、あの頃を思い出し、今を楽しみ、みんなで家族の幸せを味わって過ごそうと公子は考えてくれたのだと思う。

鴨川シーワールドでは、可愛いアシカやオットセイ、シャチなどが出演するショーを見物した。彼らはとても利口で、器用で、ときにユーモラスな仕草で愛嬌をふりまき、疲労困憊した僕らのこころを和ませてくれた。

この日、とくにレイモンドは本当に子どもの頃のように歓声を上げて楽しみ、レイナとレイチェルは僕の世話をあれこれと焼いてくれ、家族がいてくれることの幸せを存分に味わうことができた。

でも、たぶんそんなに遠くない将来、僕が死んでしまうだろうという現実を、みんなが感じていた。別れが刻一刻と近づいている中での団らんは、ヒリヒリとした胸の痛みをともなうものだった。


僕たちは、この日の記念に1枚の写真を撮った。このときは、元気を取り戻して余命宣告をグングン延ばしていくとは思っていなかったので、写真の笑顔には「別れの覚悟」が隠されている。

今ではこの写真を眺めながら「あのときはもうすぐ死んじゃうと思っていたのよね」「すっかり覚悟を決めていたね」と家族みんなでケラケラと笑い合えている。

本当に幸運なことだ。

息子のひと言がもたらした「生き抜く意志」

退院してすぐ、僕は家族みんなを集めて、自分は末期がんでもう完治する見込みはない、このままでは長く生きることはできないと診断された、ただしできることを試していくつもりだ、と話をした。

公子はすでに知っていることばかりだが、3人の子どもたちにとっては、たとえ予想はしていても聞きたくなかった知らせだろう。ところがこのとき、大学2年生になっていたレイモンドが意外な反応をした。

「僕は心配してないよ。今までだっていろいろなことを乗り越えてきたんだから、今回もお父さんならなんとかするでしょ」と、まるでなんでもないことのように言ったのだ。

僕は一瞬、虚を突かれたようになった。人間ドックを受けてからの短い期間にひどいニュースを立てつづけに聞かされ、自分の体調も抗がん剤で急激に悪化したことで、僕は気づかぬうちにすっかり自信を失くしかけていた。自分がバイタリティのある人間だなんていうことは、すっかり忘れ去っていたのだ。

レイモンドはそんな僕に、こんなことでメソメソ落ち込んであきらめる人間じゃないだろう、と喝を入れてくれたのだ。僕の性格、人生をもっとも身近なところにいて理解してくれている家族からこんなふうに言われ、目が覚める思いだった。

それで「そうか、事態に流されるんじゃなくて頑張ってみよう」という気持ちになれたのだ。僕は現代医学には見捨てられてしまった。でも、いろいろな療法を試してみよう、何でもやってみよう、自然とそんな思いが湧いてきた。

レイモンドのひと言は、そのままだったら死に向かっていっただろう僕の進路を、大きく変えた。でも少し残念なことに、1年ほど後になってレイモンドにこのときの話をしたら、彼は「え？　そんなこと言ったっけ？」「覚えてないなあ、本当に言った？」と冷たいことを言うのだ。本当に忘れたのか、それともとぼけているのだろうか――？

いずれにせよ、僕の内面では生きる意欲がフツフツと湧いてきて、積極果敢な闘病生活に入ることを固く決意した。死なないと決めたからには、世界中のカジノをめぐり、1日1000ドル使って遊んでいる場合ではない。東北の温泉にゆったり浸かる夢もおあずけだ。結果として、こうしてがんと闘ったおかげで、僕はそれから10年以上、生きてくることができたわけだ。

命をかけて人体実験した数々の治療法や健康法

この後、僕は猛烈にがんと健康について勉強を始めた。担当医からは、「抗がん剤治療しか、できることはありません」と言われたけれど、インターネットで調べると、がんによさそうな代替医療や健康法が山ほどみつかった。できることは、たくさんありそうだ。それを知っただけでも、大いに安心することができた。

そして僕は気持ちが惹かれ、理性がよしと判断する治療法や健康法を、どんどん実践していった。

方針としては、僕は現代医学と代替医療、その両方を併用して、さまざまなアプローチでがんをやっつけてやろうと考えていた。闘う上で、戦術や武器は豊富にあったほうがいい。

抗がん剤については、ある医師に意見を聞いた上で、「微量服用法」を始めた。副作用を極限まで抑えながら効果も保たれる用量を見つけ、飲む方法だ。これは当初、担当医に断りもなく始めてしまったのだけれど、後に白状したとき、担当医は効果が出ていることを確認して、しぶしぶながら黙認してくれた。また僕は抗がん剤をもっともよく効かせるための「飲むタイミング」もつきとめ、それを実践した。

そのほかにおこなった現代医学的治療は、なかなかバリエーション豊富だ。サイバーナイフやガンマナイフなどの「放射線療法」、それから「免疫細胞療法」「遺伝子治療」「動脈塞栓術」「動注化学療法」「高濃度ビタミンC療法」、そしてオプジーボやキートルーダなどの「免疫阻害剤治療」。

これらの中には、残念ながら処置がうまくいかなかったものもあったし、治療は計画どおりにおこなわれたものの、期待した効果がみられないものもあった。その反面、「効いた」と実感できるものも確かに存在した。

これらと並行して、僕は食事療法も始めた。中国伝統医学にもとづいた食事療法、ゲルソン療法、バドウィック療法、それから「食べない」という食事療法である「断食」、そして最終的に行きついた「ケトン食療法（糖質制限食療法）」。

どれもこれも「なるほど」と納得できる理論を持ち、実践してみるとそれなりの健康効果を実感することができた。でも、僕の余命を延ばすことに絶大な貢献をしたのは、まぎれもなく「ケトン食療法」だ。

がんが急激に成長した2012年、海外のニュース番組で「ケトン食療法」のことを知り、「これだ！」と思った僕は、すぐに実践した。

すると1年後には腎臓のがんも、腎臓の上部にあるリンパのがんも、半分以下に小さくなったのだ。さらに画像診断では、医師から「腫瘍中心部のがん細胞は壊死していて、その周囲の細胞は退縮しています」と説明があった。これは飛び上がりたいほど嬉しい事件だった。

後に健康ホテル「ＲＣＳ」のゲストにも「ケトン食療法」のやり方をガイドした

ところ、僕と同じようにたくさんの奇跡が起こり始めた。僕は、なんとしても生き続けたいと望むすべてのがん患者がおこなうべき、決定的な食事療法だと思っている。

さて、僕がおこなったほかの健康法も、実に多彩だ。枇杷（びわ）葉温圧療法、温泉療法、低周波療法、ハイパーサーミア療法、電位治療、マイクロ波照射療法、ケトンサプリメント&高圧酸素療法。さらに手軽でシンプルな、瞑想、イメージ療法、音楽療法、冷えとりケアなどなど、数えきれない。我ながら、ずいぶん徹底したものだと思う。

ちなみに、それぞれが一体どのような治療法で、どのような効果があったのかは、僕の著書『「がん」の上手な手なずけ方』を読んで欲しい。あなたの治療やセルフケアの参考になるかもしれないし、それぞれの治療法とそのメカニズムを知るだけでも、より深く健康とがんを理解することにつながるだろう。

では、次章からはあなたが今日から始めることができる、がんと闘うこころのケアについて順序だててお話ししていこう。まずは意識の持ち方だ。がんなどの重い病気になり、どのように受け止めたらよいのか、何から手をつければよいのかわからず、呆然としている人もあるだろう。しっかり意思を持って運命を好転させていけるようヒントにして欲しい。

第2章

〝いのちの危機〟との向き合い方

「ポジティブシンキング」より「ヘルシーシンキング」

今では医療の世界はもちろん、教育やビジネスの世界でも、「ポジティブシンキング」が願望成就や目標達成の大きな力になると説いている。これは真実だと思う。ただし、ひとつ落とし穴があることを知っておいてほしい。

「ポジティブシンキング」はご存知のとおり、前向きな受け止め方、考え方のことだ。でも、がん患者さんの中には「からだのためにはポジティブな気持ちでいなくちゃ」と追い詰められている人もいるし、その結果、上辺だけの「ポジティブシンキング」に陥ってしまう人も少なくない。

何の根拠もなく「大丈夫、わたしは治る」と呪文のように言い聞かせても、それを確信することは難しい。現実を直視しないで、不安を持ったまま、自分の気持ちを偽っているからだ。こういった「ポジティブシンキング」は、かんたんにポッキりと折れてしまう。

そこで今では「ヘルシーシンキング」が勧められている。「ヘルシーシンキング」は、その名のとおり、健全な考え方のことだ。現実をそのまま受け入れ、自分の正直な気持ちに沿って、建設な考え方をしようというものだ。

たとえば「ポジティブシンキング」では「わたしのがんはなくなる」「余命告知を受けたけれど、大丈夫、死ぬことはない」と考える。でも根拠がなければ、信じ切ることはできない。

一方、「ヘルシーシンキング」では、こう考える。「わたしは末期がんだ。よくなる可能性は低いけれど、生き抜いた人たちがいるのは事実だ。自分もその中に入れるよう、最善のことをしよう。まずは自分にとって最善のことが何なのか、いろいろ調べてみよう、やってみよう」というところからスタートする。そして知識や情報を得て、実践して、自信をつけ、結果としてポジティブな気持ちを手に入れようという考え方だ。

決して折れない〝しなやかな強さ〟というものは、嫌な現実を覆い隠していたら身につかない。無理のある「ポジティブシンキング」でなく、「ヘルシーシンキング」で一歩一歩、明るく強いこころを取り戻していこう。

「妻と子ども以外、全部変えろ」必要なのは人生の大変革

これは、サムスングループの2代目オーナー会長、李健熙（イ・ゴンヒ）の言葉だ。彼が大胆な経営改革を断行するときに掲げたスローガンで、その後、ビジネス界でしばしば引用されている。

意図するところは「大転換を実行しない限り、苦境から脱却することはできないし、大きな成功を手にすることもできない」「大変革を迫られているとき、手をつ

けない『聖域』を残してはいけない」というものだ。

本気でやれ、全面的に変えろ、覚悟を決めろ、という強い姿勢がうかがえる。がんに対しても、これとまったく同じ姿勢が求められる。

がんは一種の生活習慣病だ。1年やそこらでできるものではない。遺伝的な素因のあるなしにかかわらず、長年の生き方、暮らし方が大きく影響している。そうであれば、その生き方、暮らし方こそを変革しなければ、太刀打ちすることは難しいだろう。

とくに「がんの状態が改善する」「がんがすっかり消える」などの飛躍的な結果を望むなら、チマチマとやっていてはいけない。これまでの生活習慣をすべて見直して、新しい生き方を始める。そう覚悟することが必要だ。

何が悪かったのか、どう改善するべきなのか――。それにはまず、自分の人生を知り、しっかり情報や知識を得た上でプランを作ることが大切だ。

実際に、がん患者さんのライフスタイルには、がんの発生を許してしまった原因が潜んでいることがある。「これだけは好きだからやめられない」と吸い続けたタバコ。深酒の習慣。長年の睡眠不足。健康診断の結果を見て見ぬふりをしたこと。ストレスフルな職場を辞める決意をしなかったこと。自分を甘やかし、欲求のまま暴飲暴食をし続けたこと――。

あなたに心当たりはないだろうか？　病はあなたの生き方に対する、ひとつの「警告」だ。本当の意味で、あなたのこころとからだが幸せになるよう生き直すための、大切なきっかけだと受け止めて欲しい。

「命」と「仕事」の優先順位を間違えてはいけない

僕は思い切って仕事を退くことができたけれど、事情によってはそうかんたんにいかないことのほうが多いだろう。けれど「かんたんではないこと」をしなければ、すでに育ってしまったがんを小さくしたり、なくしたりすることは困難だ。

「仕事が生きがい」「仕事はこれまでの人生の大事な成果だ」、そんなふうに仕事を愛している人は、幸せだと思う。でもがんになり、命の危機が迫っているとしたら、これまでと同じように「仕事、第一」に生きてはいけない。どんなに仕事を大切に思っていようとも、「あなたの命、第一」だ。

もし「頻繁に休みをとったら、同僚たちに大変な迷惑がかかる」「残業が多く、からだへの負担が大きい」といったことが心配な場合は、配置転換を願い出るのも一手だし、できれば避けたいことだろうけれど、転職も検討するべきだ。

多くの人は、「今の仕事を手放したら、ほかに収入の道がない」と思い込んでいる。確かに生きる糧をどう得ていくか、それを新たに見つけるのはかんたんではない。でも実際は、本気で新たな生き方を探していない段階で、そんなふうに決めつけていることが多い。

睡眠時間が削られ、楽ではない通勤に体力を奪われ、日常的に強いストレスにさらされ続けて、重い病気が治るだろうか。生きる糧を新たに見つけることは、本当に不可能だろうか——。

あなたは自分で判断して舵を切ることで、先の人生をある程度、コントロールすることができる。がんを宣告されて、布団にくるまりいじけることもできるし、果敢に治療法や健康法を受け「これだ!」というものを見つけ出すこともできる。そしていのちが喜ぶような生き方に転換することもできる。

それには覚悟も努力も必要だけれど、ただ流されてしまうより、ずっと満足な人生を送ることができるし、がんを改善していくことに大いに役立つはずだ。

がん患者が持つべき武器は「現代医学」「代替医療」そして「生命観」

僕は、がんを打ち負かすために重要な要素は、「現代医学」「代替医療」、そして「スピリチュアルな領域を含んだ生命観・死生観」だと思う。

がん患者さんの中には、激しく現代医学を嫌う人がいる。診断、治療のプロセスで、医師に酷いことを言われたり、治療にともなう苦痛があまりに大きいので嫌になったり、そもそも治療の仕方に不満や疑問があるという人もいる。

僕もその気持ちはよくわかる。でも、現代医学を丸ごと自分から遠ざけてしまっては、助かるチャンスを失うことにもなりかねない。現代医学にも、代替医療にも、それぞれメリットとデメリットがある。それらを理解した上で、上手に使い分ければいいだけだ。つまり〝いいとこ取り〟をお勧めする。

現代医学のメリットのひとつは、精密な診断技術だ。血液検査、画像診断などで、現状をつぶさに知ることができる。これは代替医療にできることではない。だから、もしがんになったら、状態を知るため、こまめに病院に行ったほうがいい。悪化の兆候をいち早くつかむことができるし、ふだん実践している代替医療やセルフケアの効果を知ることもできる。

また現代医学は症状を取りのぞくことを目的にした「対症療法」が基本なので、切れるがんなら手術で切除する、放射線で叩けるなら叩きつぶす、といった具合に「力づくでからだの緊急事態を脱する」ことができる。

少々乱暴な手段に思えるかもしれないし、このやり方では病気の原因を治すことはできない。けれど、のっぴきならない状況を救うことにかけては信頼できる。

そして現代医学のもうひとつの得意分野が、緩和医療だ。緩和医療の専門医たちは、末期がんの痛みと呼吸の苦しさを取りのぞくスペシャリストだ。だから苦痛が強い場合は、がん治療の医師だけでなく、緩和医療の専門医にもかかるといい。

一方、代替医療のメリットは、その多くが自然治癒力を高めることだ。これは病気を根本から治す力になる。

この自然治癒力とは、たんに免疫系の働きや、免疫系、神経系、内分泌系が連携した働きのことではない。人間丸ごとを統括・運営する命そのものの力で、日進月歩の科学でも、その全貌の1％も解明できていない。

長い年月をかけてからだにがんができてしまった人は、自然治癒力を低下させてしまうような生活習慣をしてきた可能性が高い。だから、がんをよくしていくにあたっては、自然治癒力が最大限に発揮されるよう生活習慣を改めると同時に、自然治癒力を高める代替医療を受けるといい。

僕は余命告知をされた後、アメリカに住む知人が中国伝統医学の治療師を紹介してくれ、その人に会いに、公子と一緒にハワイまで出かけた。治療師は台湾出身の女性で、生薬の処方と食生活、ライフスタイルの指導をしてくれた。これが代替医療との出合いだった。

このとき、僕は生まれてはじめて現代医学とは異なる健康観、生命観に触れた。彼女が語る命やからだの仕組み、自然治癒力の話はとても奥が深く、心に響くものがあった。そして僕のようにがんを患っている人々が、こうした代替医療によって治ることができたり、がんと共存しながらつらい症状もなく長生きしているケースもたくさん教えてもらった。

おかげで僕は、希望と自信まで持つことができたのだ。その頃は抗がん剤も飲んでいたので厳密な効果は断言できないけれど、一時期よりも体調がよくなり、がんも小さくなっていた。僕はこれを皮切りに、さまざまな代替医療を実践するようになった。

その中のひとつ、枇杷葉温圧療法は、患部やツボに果物の枇杷の葉っぱを当て、そこに火をつけた「棒もぐさ」を押しつけ圧力を加える治療だ。枇杷の葉っぱの成分による効果、お灸による温熱効果、指圧や鍼（はり）のようなツボへの刺激効果で治癒力を高めるものだ。これはとても気持ちがよく、実際に痛みがやわらぐので大いに気に入った。すると公子がスクールに通い始め、施術師の資格までとって、僕にやってくれるようになった。

代替医療にはこんなふうに、健康になるための努力を自分の手で、あるいは家族に協力してもらっておこなえるところもいい。治療を人まかせにするのでなく、自分の手で健康を立て直していくのだ。さらに命や健康に関する深い哲学を、自分のからだを通じて学んでいくことができる点も、大きな価値があると思う。

そして、がん患者にとってもうひとつ大切な武器は、スピリチュアルな領域を含めた生命観、死生観だ。自分は何のために生きているのか、何が本当の幸せなのか、からだはどうして病んでいくのか、癒えるのはどのような仕組みによるものなのか、死とはなんだろう、死んだ後にはどうなるのだろう――。

そういったことに、自分なりの答えを持っていると、自信を持ち、迷いなく、むしろ喜びを持って治療を進めていくことができる。詳しくは、この本の後半でたっぷりお伝えしていこう。

あなたは自分が「何のために生き続けたいか」わかっていますか？

がんになって余命宣告を受けると、当然、誰もが「死にたくない」と思う。これは言い換えれば「余命を伸ばしたい」ということだ。3年でも1年でも半年でもいいから長く生きたい、そう切実に願うだろう。そしてあれこれ調べた上で治療を受け、中には果敢に先進医療を受ける人や、代替医療を試みる人も少なくない。

僕は幸運なことに、挑戦したさまざまな健康法、とくに糖質制限をするケトン食療法が功を奏して、半年と宣告された余命は1年、5年、9年とグングン延びていった。だが、あるときふと考えた。

健康養生ホテル「RCS」をオープンして、最初の本『医師が知らない余命を延ばすがん養生生活』を出版した後のことだ。それまでは必死に「死にたくない」「生きよう」と頑張っていたわけだけれど、「僕はせっかくのギフトとして与えてもらった命を、一体何に使うんだ？」と思ったのだ。

そしてそれ以降、僕はこのことをずっと考えてきた。

人は毎日の暮らしの中で、同じ行動を繰り返してばかりだ。馴染みのレストランに行けば、「いつものアレを食べよう」となり、スターバックスコーヒーに行けば、毎回、同じドリンクを注文する。

このままでは、たとえ5年命が長くなっても、同じレストランに行って同じメニューを食べる回数が増えるだけだ。今まで何十年もやってきたことを、あと5年繰り返すだけ。それでは何のために命を延ばしてもらったのかわからない。

僕はがんになって、人生について、幸せについて、本当にさまざまなことを考えた。また、後でお伝えする明晰夢や母を見送ったときのスピリチュアルな体験の中で、「人に喜んでもらえること、人に感謝してもらえることが幸せだ」ということが明確になった。では、僕は何をして人々に喜びや幸せを与えることができるのだろう？

そうして出たひとつの答えが、ホテルを訪れたゲストが健康になるようガイドすることであり、本を出版して経験談や情報を伝えることであり、僧侶となって人を仏の道に導くことだった。

さて、もしも神さまや仏さまが「命を延ばしてあげましょう」と言ってくれたとして、あなたは延ばしてもらったその命で、一体何をしたいのだろう？　その答えを見つけることができれば、あなたは目標と希望を持って、治療を続けながら張りのある日々を送っていける。そしてあなたがその成果を手にしたとき、どんなに幸せに感じるか、僕にはありありと想像することができる。

「病を得る」という言い方がある。まるでもらって嬉しい贈り物のような言い方だ。でも実際に、病にはこの言葉の印象どおり、ありがたい一面があるのも事実だ。

命を脅かされるような重い病気を患っている人が、「病気になったおかげで幸せになった」「病気になってよかった」と言うのを聞いたことがあるかもしれない。これは決して負け惜しみではない。本心からの言葉だということが、僕にはよくわかる。

命の重大な危機に直面して、ふと立ち止まる。そして「どうして自分がこんなことに」と毎日、毎日、数えきれないほど自問する。そして過酷な出来事が起こった意味を考えるうちに、自分が人生で犯してきた過ち、間違った生き方に気づくことがある。

そういった人は幸いだ。それ以降、からだやいのちを大切にいたわり、慈しみ、感謝して過ごすようになるだろう。もちろん人に対する接し方や受け止め方も変わってくる。心持ちが変わり、行動が変わり、人生が変わっていく。その新たな人生は、これまでよりもずっと深い喜びに満ちたものになる。

そんなとき「病気になったおかげで、深い幸せを知ることができた」という感謝の気持ちすら湧いてくるのだ。この道を、あなたも歩んでみてはどうだろう。

第3章

治癒力が目覚める〝こころの重荷〟の下ろし方

勝つためのスタートラインは〝現実と真っ向から向き合うこと〟

あなたはがんの診断や余命告知を、どのようなプロセスで受けただろう？

僕のようにステップを踏んで、「何か問題でもあったのかな？」→「もしかして？」→「たぶんそうなのだろうな」→「やっぱりそうか……」という具合に事実を知った方は少なくないと思う。検査と告知のシステム上、いきなり宣告を受けることは少ない。さらに病院や医師が配慮をしているようにも思う。

こうして少しずつ理解していく方法なら、いきなりハンマーで頭をガツンとやられるようなショックは避けられる。これは日本人らしいやり方かもしれない。

日本では、相手にとってあまり嬉しくない話をするとき、言葉にしないで曖昧に表現して、お互いが「察する」という習慣がある。これは思いやりの美学でもあるし、「繊細な感受性」と「強い共感性」に恵まれた日本人の能力でもあると思う。

ただし曖昧にごまかしながら、いつまでも「本当に大事なこと」から目を背けてしまってはいけない。

自分ががんであるという事実は、患者さんにとっては「聞きたくない」ことだし、医師にとっても「言いづらい」ことだ。実際に患者さんの中には「余命なんて知りたくなかった」「隠しておいてほしかった」「こんなに残酷なことはない」と嘆く人もいる。

でも「現状」を詳しく知らなければ、何を目標にどう闘ったらいいのかわからない。本気を出すべきピンチなのに真剣に取り組まず、大事な時間を無駄に過ごしてしまうかもしれない。勝つためには、嫌な話でもしっかり聞いて、現状を把握することが欠かせない。

だから告知を受けたら、ステージはいくつなのか、余命はどのくらいなのか、5年生存率、10年生存率はどのくらいなのか、そしてどのような治療法があってそのメリットとデメリットはどのようなものか、できるだけ詳しく尋ねて、知っておいて欲しい。どれも、勝ち抜く戦略を立てる上で必要な情報だ。

ときには僕のケースのように、担当医が充分な情報を出さないこともある。僕はしつこく、しつこく食い下がり、ようやく肝心の情報を聞き出すことができた。たくさんのがん患者さんに聞いた話を総合すると、どうも日本の医師たちは、情報を出し渋る傾向があるらしい。でもアメリカでは、情報は100％本人に提供される。

僕の命の状態に関する情報は、ほかの誰のものでもない、僕のものだ。それを出してくれと要求しているのに、それでも出し渋る理由がわからなかった。思いやりだろうか？

きっとそうなのだと思う。でも現実を覆い隠してごまかしても、事態が救われることはない。救われるのは気まずい思いをせずにすむ医師だけだ。それは患者にとって、むしろ余計に残酷なことだと思う。

あなたは危うくなっている自分の命をそのままにして、無力に旅立っていきたいだろうか？　そうではなく「悠々と生き抜いてやろう」、あるいは「限られた期間でも、自分らしく幸せに過ごしたい」、そう望むなら、厳しい事実を真っ向から受け止めて、運命を大胆にひっくり返していこう。

自分について知る。がんについて知る。健康について知る——。実は勝つためのヒントも、希望の種も、これらの中にたくさん潜んでいる。

医師の「余命宣告」に殺されてはいけない

ここでちょっと余命告知について考えてみたい。医療の専門家である医師から、あなたの命はあとこのくらいですよ、と言われれば、絶対的な宣告に感じてしまうだろう。でも実際には、ただの「統計的データ」だ。それ以上でも、それ以下でもない。

たしかに医師が「おおよそ6か月といったところでしょうか」といえば6か月で旅立ち、「桜を見られるよう頑張りましょう」といえば桜の花とともに散ってしまう人が多い。統計データや医師の見立ては、ある程度正確なのだろうな、とは思う。

でも、もしかしたら医師の余命宣告が、患者さんに対して呪文のように作用してしまった可能性だってある。「自分の命は8月までか」とリアルにイメージし、それを確信して絶望してしまった人は、その日を超えて生きることは難しくなってしまうかもしれない。

これはがん医療の世界で「誕生日反応」として知られる現象だ。「次の誕生日までは頑張ろう」「娘の結婚式までは生きていよう」と目標の日を固めると、その希望どおりに生き延び、旅立っていくことがよくあるのだという。つまり自分の意思や気力が、ある程度、命の期限を動かすことがある。

だからこそ僕は言いたい。医師が伝えた余命を信じ込んで、やすやすと呪いにかかってはいけない。医師の余命宣告は、話半分に聞こう。そして自分で命の期限を決めてしまうのはやめよう。

もし心細くなるような余命や、5年生存率の数字を医師から聞かされたら「でも、これはただの統計データだからね」と自分に言い聞かせてほしい。そしてもし医師から「できる治療はありません」と言われたら、「現代医学の標準治療では無理ということか」と正しく理解し、希望を持てる代替医療を探せばいい。

その上でこれから先の人生に、ワクワクするような楽しいことを、あれもこれも具体的に思い描いて「すべて楽しみ尽くすまでは死なないぞ」と自分に宣言するのだ。この宣言は、神様も宇宙も聞いている。きっとかなえてくれると僕は思っている。

告知を受けたときに起きる〝こころの反応〟を知っておこう

映画やドラマでは、医師から余命を告げられた登場人物が、診察室で泣き崩れる、という場面がある。でも実際には、本当にいろいろなパターンが存在する。

ある人は、告知された診察室では平静を保って医師と会話をしていたけれど、何の話をしたのか、どうやって家に帰ったのか、よく覚えていないという。ほかの例では宣告された後、治療プランについて落ち着いて話をしていたはずなのに、思わず知らず涙が流れてきてびっくりした、という男性もいる。

この段階では、衝撃を受けて頭やこころが麻痺したようになったり、反対に興奮してしまったり、さまざまな反応が起こる。でも、どれも自然な反応だ。この衝撃を、できるだけダメージを負わないよう受け止めながら、こころを癒し元気づけて、前に進んでいけばいい。

ここで、ショックな出来事に遭遇したときの、一般的なこころの反応についてお話しておこう。というのも、人生最大級の悪いニュースに接した人には、ショック、怒り、悲しみ、うつ状態など、本当にさまざまな感情が押し寄せてくる。そしてその感情に飲み込まれて、過剰に苦しんでしまう人も多い。

でも、どのようなこころの状態になるか知識として知っておけば、自分の状態を客観的に見ることができる。そして苦しい感情と一体になってしまわず、ある程度、切り離すことができるのだ。

紹介しておきたいのは、有名なエリザベス・キューブラー・ロスの「喪失の5段階」だ。

彼女はアメリカで活躍した女性精神科医で、死の間際にある何万人もの患者との触れ合いから「死を受容する5段階」という概念を作った。そして怒りや悲しみの中で人々が旅立つことがないよう、そのケアについても確立した人物だ。

彼女はその後、この5段階の反応は、死を迎える人々だけでなく、「突然に」「切断的な喪失」を体験した人に起こることを見出して、「悲嘆の5段階」「喪失の5段階」などと呼ぶようになった。

たとえば余命告知をされた場合は、自分の人生・命を喪失する危機に直面している。そのほかにも、大切な人を亡くした人、大切な人と別れた人、もっといえば突然リストラを言い渡され、仕事や地位を失った人も、同じ「喪失の危機」にあるわけだ。

エリザベスはこうした場面でこころが起こす反応を、5つ取り上げている。「否認」「怒り」「取り引き」「抑うつ」「受容」だ。ここでは、余命告知を受けて間もない時期によくみられる3つを中心にお話しておこう。

「信じたくない」「そんなはずはない」は〝こころの防衛反応〟

まずは「否認」。これは悪いニュースを聞いた直後に起きやすい。「まさか、そんなはずはない」「嘘なんじゃないか」「何かの間違いだ」という思いだ。

これらは「あまりに突然のことで受け入れられない」「意外すぎて信じられない」「こんなに残酷な現実は受け止められない」、そういった感情が下敷きになっている。

これはこころが起こす防衛反応のひとつだ。残酷な出来事に直面したとき、その事実を受け入れてしまうと、こころが壊れてしまう危険がある。それを防ぐために防衛機能が働いて、いったんその事実を〝受け入れ保留〟にするのだ。

中には「現実を否定するなんて、病的な状態だ」と考える人がいるかもしれない。でも実は「否認」は、誰もが日常で多かれ少なかれ体験している。

あなたは予想以上だった体重計の数字を見て、「この体重計は壊れている」と決めつけたことはないだろうか？　あるいは鏡の中にいる老けた自分の顔を眺めながら「今日は疲れが顔に出ているんだわ」と言い訳をしたことがないだろうか？　また恋人から別れを告げられたときに「何かの間違いだ」となかったことにしたことはないだろうか？

こうした「否認」の感情は、厳しい告知を受けたときにはとくに、一般的にみられる。ただしこれが長々と続いてしまうと、こころの健康までそこなわれてしまう危険がある。

だからショックをともに受け止めてくれる家族や友人、あるいは遠慮なく泣いたり話ができるカウンセラーや医師を頼ってもいい。誰かに支えてもらいながら、少しずつ現実に目を向けていくようにしよう。

またエリザベスは語っていないけれど、これとは少し異なった「麻痺」という形もある。頭が真っ白で何も考えられず、こころも麻痺したように何も感じない、という状態だ。僕が一時、呆然としてしまったのも、この一種かもしれない。

心に溜め込んだ悲しみは「イライラ」「怒り」となって放出される

こころに衝撃を受けたときにみられる感情のふたつ目は「怒り」だ。

基本的には「自分がなぜこんな目に合わなくちゃならないんだ」という、理不尽な運命に対する怒りだと思う。ただし「怒り」という感情は、強い「悲しみ」でこころの中がいっぱいになったときのサインでもあることを覚えておきたい。

たとえば、悲しいのだけれど、家族を心配させたくないから、悲しむ姿や涙を見せまいとして、悲しみを抑圧してしまっている人。もしくは「いったん泣いたら自分が壊れてしまいそう」という恐怖がある人。

こういう場合、こころの中は溜め込まれた悲しみで破裂しそうになっている。でもその悲しみを、泣いたり話したりして外に出すことができない。そういったとき、「怒り」という別の形で感情が噴き出すことがある。

注意しておきたいのは、この場合「怒り」の理由は後づけになるという点だ。つまり、周囲にいる誰かのちょっとした言動に反応して激怒するような「八つ当たり」になってしまいやすい。

本人にとっては、「あの人の無神経な言葉が許せない」とか「最初に診てくれた先生ががんの兆候を見逃したんじゃないか」という具合に、ちゃんと理由があって誰かに怒りを向けている。でも実際には、普段のようなこころの余裕がなかったり、冷静な考え方が失われてしまったせいで、怒っていることが多い。

八つ当たりは、相手はもちろん、自分にとっても後味が悪い。余計にこころを痛めてしまうことになるので注意が必要だ。こんなときには、「腹が立つけれど、これは自分が悲しいからかもしれない」「こころが疲れているせいかもしれない」と自分に言い聞かせてみるといい。そして怒りを誰かにぶつける前に、まず泣いたり、思いのたけを誰かに聞いてもらって、悲しみをこころの中から追い出してしまおう。

こころに溜まっている悲しみは、どんなに怒ってもなくなることはない。悲しみは、悲しむことでしか、成仏させることはできないからだ。

何かに祈るのは「生きたい」という意欲の表れ、悪いことではない

エリザベスが挙げた3つ目の反応は「取り引き」だ。これは、普段からお祈りをする習慣がある人には、とくによくみられる状態だと思う。

神様に「大好きなお酒を一生、断ちますから、どうか病気を治してください」とか、「せめて子どもが成人するまでは生かしてください」と祈ったり願ったりする状態のことだ。

これは神さまや仏さまを頼っているだけのように思えるかもしれない。中には「依存するのは、あまりいいことではない」と思う人もいるだろう。でも、ちょっと見方を変えて欲しい。

こういった「取り引き」をしている人は、「麻痺」や「否認」のように、現実から目をそらしてはいない。それに、あきらめたり投げやりになっているわけでもない。厳しい現実を真っ直ぐに受け止め、なんとかその危機から脱却しよう、生き続けようとしている前向きな精神状態だ。「否認」や「麻痺」から、一歩も二歩も進んだ段階にある。

また、折れそうなこころを支えてくれる存在を持つことは重要だ。何かに依存しないで主体的、自律的に努力をする、自力で歩きだすのは先の話で、まずは自分の足で何とか立っていることが必要だ。そのとき支えがいるなら、頼ればいい。そしてその支えは、実在の人物でもそうでなくても構わない。

別の視点でみると、祈るとき、人はこころを鎮め、さまざまな雑念から解き放たれる。それだけでも、こころの健康上、大きな価値がある。また祈りにはそれ自体、さまざまな力があるということも覚えておいて欲しい。願いを現実化する上で、よい祈り方というものも存在する。これについては、僕が僧侶になった話をする際に、詳しくお伝えしよう。

エリザベスが挙げた5つのうち、残りの「抑うつ」は、こころが暗く落ち込んだ状態をいう。「抑うつ」は、この本でお話するさまざまなケアで予防できるし、あまり重度でなければ解消していくこともできる。

もうひとつの「受容」は、激しい感情に揺さぶられず、厳しい現実を静かに受け入れた状態のことだ。決してあきらめて絶望しているわけではなく、こころの深い部分で受け止めた状態といえる。

つまり、がんで余命告知を受けた人にとって「受容」はあきらめの境地ではなく、現実を受け止め、歩き出すスタートラインになる。

これらが、エリザベスが示した5つの要素だ。彼女は、誰もがかならずこれらを体験するとは限らないし、ステップ式に順番に進んでいくわけでもない、ある人はいくつかの要素を行ったり来たりしながら、心の落ち着きを取り戻し、現実を受け入れて人生を先へと進んでいくのだと語っている。

実際に厳しい宣告を受けた人は、複雑な苦痛を味わうものだ。あるときは不安に襲われてこころもからだも縮こまり、そうかと思うとイライラして家族にあたってしまう。突然の発作のように、涙が噴き出しとまらなくなることだってあるだろう。そしてさまざまな感情に振り回され、クタクタになって呆然とすることもある。

だから「自分は今、5段階のどこにいるのか」を考えても、あまり意味がない。でも、これら5つの状態を知っておけば、実際にこうした感情が沸き起こったとき、無力にその感情に溺れてしまわずにすむと思う。

不安も恐怖も悲しみも、こころに溜めず手放してしまおう

では実際に不安や恐怖、悲しみや怒りに襲われているとき、その苦しみをどのようにやわらげたらよいのだろう？

瞑想、祈り、こころを見つめるワーク、イメージ療法、音楽療法、アロマテラピー、運動療法、日光浴をするサンニング、大地に触れるグラウンディング、愛情で結ばれた人から受けるオキシトシン・マッサージ、可愛らしいものやきれいなものと接してスイートな気持ちになること——。

効果的なケアの方法はさまざまある。まずはいちばん基本的なことからお伝えしていこう。ネガティブな感情のデトックス（排出）だ。

不安や哀しみ、恐怖、怒りなどのネガティブな感情は、とにかくこころの中に溜

め込まず、外に出すことが大切だ。こころの中から余計なものを一掃すると、それだけで本来のこころの治癒力がよみがえることがある。

ネガティブな感情を手放すいちばんシンプルな方法は、話す、書く、涙を流すことだ。たとえば何か悲しいことがあっても、ワーッと泣いた後にスッキリして気分がよくなった、という経験は誰もがしているだろう。

悲しみは形のないものなので、そのままでは外に排出することは難しいけれど、涙を流すと、涙に乗せて自分の外に出すことができる。これはインドや中国に伝わる伝統医学や、心理学でいわれている知識だ。

だから涙はこらえず、泣きたいときには泣いたほうがいい。家族の目が気になるなら、お風呂の中とか、寝室にこもって泣ける環境に身を置けばいい。

それから、これは少し不思議なことだけれど、自分の悲しみとはまったく関係のない悲しい小説を読んだり映画を見たりして泣いても、同じ効果がある。だから、自分の悲しみを見つめることがつらすぎる場合は、童話でも名作映画でもいい。涙を流し、悲しみを手放すきっかけにしてほしい。

また涙だけでなく、言葉に乗せて外に出すこともできる。悲しいとき、怖いとき、怒りを感じるとき、理解して受け止めてくれる家族や友人がいるなら、話を聞いてもらおう。カウンセラーを雇ってもいい。スッキリすることはもちろん、理解や共感をしてもらえれば、こころが安心して温かくなる。また話しているうちに、自分の気持ちや考えが整理されることもあるし、思わぬ自分の本心に気づくこともある。

僕が経営するホテルでも、ゲストとの対話は大切な時間だ。体質改善プログラムでおこなうセミナーや温泉療法、各種治療器や健康器具を使ったケアだけでなく、「たっぷりお話ができてこころが軽くなった」「楽になった」という方は多い。

もし適当な話し相手がいない場合は、日記を書くのもお勧めだ。正直な思いを書き綴ると、やはり吐き出し作用でこころが軽く、楽になる。また少し日を置いて読み返し、そこに書かれている正直な思いを自分にフィードバックすると、客観的な視点で自分を見つめることができる。すると悲しみや恐怖、怒りを消化しやすくなる。

このほかに、自分の気持ちや考えを整理するための、ワークもお勧めだ。心理学系のカウンセリングでしばしばおこなわれている、シンプルなものをひとつご紹介しよう。

不安を分解して一つひとつ解決する〝こころを見つめるワーク〟

不安や恐怖は、「あれも怖い」「これも心配だ」というように、たくさんの不安や心配、恐怖がひとまとまりになって、正体不明の重苦しい感情になっている。だからそのままでは対処することが難しい。けれど細かく分解して、一つひとつの正体をつきとめると、実は解決できる問題がたくさんあることがわかる。

たとえば「不安な気持ち」をテーマにするなら、自分が何を不安に思っているのかを、思いつく限り書き出してみる。「この先、痛みや苦痛が激しくなるのが怖い」「治療がつらそうで不安」「治療費がたくさんかかりそうで心配」「家族に迷惑をかけてしまうことがつらい」など、10個も20個も並ぶと思う。

書き出したら、その一つひとつについて、解決法を考え書いていこう。人に尋ねたり、本やインターネットで調べてもいい。解決法を見つけるには、きっと何日もかかるだろう。


ひとつの例として、「この先、痛みや苦痛が激しくなるのが怖い」ということなら、緩和医療の情報を知れば安心することができる。

緩和医療の学会では、末期がんの患者さんの痛みと呼吸の苦しさは、96％取り除くことができると断言している。だから主治医が出す痛み止めが効かなくなったら、緩和医療の専門医に薬を処方してもらえばいい。

実はがん治療の専門医は、緩和医療について最新の知識や技術をもっているわけではない。だから痛みがとれないことがある。でも緩和医療の専門医なら、今飲んでいる薬が効かなければ、量をこのくらいに増やしてみよう、それでも効かないならこの補助剤を加えよう、それも駄目ならほかの薬に替えてみよう、あるいは痛みを緩和する放射線治療がいいかもしれない、そんなふうに、あの手この手で対処をしてくれる。

痛みや苦しさを不安に思っている人も、こういったことを知れば、心配する気持ちが大きく解消されるだろう。

また「お金の不安」があるときも、漠然としたままにしないで、具体的に把握しよう。預貯金の額や、加入している医療保険で支払われる対象とその額を調べ、そのほかいざというとき処分してお金に換えられるものを洗い出してもいい。会社勤めをしている場合は、休職した際の給与や、そのほかの支援制度を会社に確認してみよう。さらにがんの場合は「高額療養費制度」だけでなく、「傷病手当金」や「障害年金」といった公的サポートを利用できる場合もある。

こういったことを調べ上げた上で、さらに支出のほうも見直しをすることができる。手の打ちようは、いろいろあるのだ。全体的なプランについては「医療ソーシャルワーカー」に相談すると、安心できる方法を提案してもらえるので頼ってみてもいいだろう。

こうして、一つひとつ不安の種を精査していくと、「これは大丈夫」「あれも何とかなる」と減っていき、残るものはいくつかに限られる。グッと気持ちが楽になるはずだ。

第4章

こころとからだに効く癒しのメソッド

【笑い】こんなときだからこそ笑って免疫力を強化しよう

あなたは毎日、笑って過ごしていますか？

そんな気分にはなれない、という人が多いかもしれない。日常生活の中で人と接するときには笑顔を作っても、お腹の底から大笑いできている人は少ないだろう。でも不安や悲しみなど、こころの重荷をできるだけ下ろしたら、そこに笑いを加えよう。

この本の冒頭で紹介した医聖ヒポクラテスは、「こころに起きることはすべてからだに影響し、からだに起きることもまた、すべてこころに影響する」と記し残している。それが今、科学的に実証されている。

こころとからだは切り離すことのできない一体のもので、僕らが安心し、明るく愉快に過ごしているときには、免疫力が強くなることがわかっている。

僕らの体内にはリンパ球を中心として、ナチュラルキラー細胞・T細胞・B細胞・大喰細胞など、数十種類のユニークな働きを持つ免疫細胞が存在している。そして、お互い緊密に情報を交換しあい、連携プレーをおこなって細菌・ウイルス・有害物質、そしてがんなどの外敵を撃退してくれている。

この働きは、こころが平和で幸せを味わっているときに最大化される。反対に不安や恐怖、うつをはじめとするストレスは大敵だ。ならば、こころを幸せにして、免疫力を高めてがんに対抗しよう。幸せになることが健康につながるのだ。

もしかしたら「気の持ちようひとつでがんが治ったら苦労はしないよ」と考える人があるかもしれない。でもこころが秘めている癒しの力は、本当に素晴らしい効果を発揮する。笑いが免疫力を強化して、難病を治してしまうことすらあるのだ。ひとつ、印象的なエピソードをご紹介しよう。

これはアメリカの有名な雑誌『サタデー・レビュー』の編集長だったノーマン・カズンズが体験した、世界的に有名な症例だ。

彼は50歳のとき、硬直性脊椎炎という、500人にひとりしか治ることができない自己免疫疾患にかかった。アレルギーで薬を飲めなかったため、担当医から「できる治療はありません」と宣告されてしまったという。

そのときノーマンは「ストレス」という言葉を作ったハンス・セリエ博士が発表した論文のことを思い出した。セリエ博士は「ネガティブな感情はからだに悪い」とレポートしていたのだ。「もしそうなら、愛情や信頼、満足、笑いはからだにいいに違いない」、そう信じて実践してみることにした。

まずは病院の陰気くさい病室を出て、快適なベッドが用意されたホテルに移り、知り合いのテレビ番組ディレクターから、大量のお笑いビデオを差し入れてもらった。すると、ビデオを見ながら10分お腹を抱えて笑ったときには、2時間ほど痛みを感じなくてすむことを発見した。

これは効いている、と確信したノーマンは、独自の〝笑い療法〟を続け、結局数か月後には治ってしまい、仕事に復帰した。薬なしで500分の1の奇跡を起こしたのだ。

彼の体験が『笑いと治癒力』という1冊の本として出版されると、たちまち大評判となり、著作は世界中で発売された。また権威ある医学誌にも彼のレポートが掲載され、3000人を超える医師から問い合わせが殺到した。

これをきっかけに、医学界でも笑いの健康効果が注目され、医学的研究が進められていった。笑いがストレスや痛みを緩和し、NK細胞をはじめとする免疫細胞を活性化するなど、実際に生理学的な変化をおこして病気の治癒に貢献することが明らかになったのだ。

笑いは、不安やパニックの対極にあるものだから、それらのよい火消しになるのだとノーマン・カズンズは語っている。「笑っていられる状況じゃない」「笑う気になんかなれない」と言わず、あなたも愉快でお腹を抱えて笑えるようなことを、日常に取り入れてみて欲しい。その楽しい体験が、こころを活気づかせ、がんの退治にもつながるからだ。

【睡眠】こころとからだの滋養になる〝健康法としての眠り方〟

最近ではこころが落ち込んでいる人が医師に相談すると、まず眠れるように生活習慣を指導して、それでもよく眠れなかったら眠るための弱い薬を処方され、同時にウォーキングなど、軽い運動を勧められることが多い。

よい睡眠、そして軽い運動。そのふたつが、こころのパワー回復にとても効果的だということが、科学的なエビデンス（証拠）をともなってわかってきたからだ。

睡眠は心身の健康にとって、思っているより重要だ。嫌なことがあっても、「ひと晩寝たら、どうでもよくなった」という経験をした人は多いと思う。よい睡眠をとると、回復力が充分に発揮されるので、それだけでこころの苦しさが癒されていくことも多い。

そもそも睡眠の役割は、こころとからだのメンテナンスだといわれている。脳やからだの休養と疲労回復になり、免疫機能を増強する。また記憶を整理して定着させたり、感情を整理することもわかっている。

こころの基礎体力をつけ、自然治癒力をよく働かせるには、まず質のよい睡眠を確保することが重要だ。すぐに眠りに落ち、途中で目覚めることもなく、朝までぐっすり眠れること。眠りの「深さ」と「長さ」を充分にとること。これがよい睡眠の条件とされている。それには具体的にどうしたらよいのだろう？

まずは環境をととのえることが大切だ。基本的には、五感に強い刺激や不快感をあたえないよう気をつければいい。寝具、寝巻などの衣類、照明、室温、加湿などがポイントだ。

具体的には、人によって差はあるけれど、寝具の堅さと枕の高さが合わないと、睡眠を大きくさまたげてしまう。

また部屋の照明をこうこうとつけたままではいけない。ベッドに入ったら照明を落とす。ある程度の明るさがないと眠れない人は、タイマーつきの照明にしよう。

そして静けさは必要だけれど、「あまりにシンとしてしまうと、居心地が悪い」「緊張する」というタイプの人は、静かな音楽をかけたり、528ヘルツの音楽を流したり、しばらくの間、なんとなくテレビをつけている程度ならいいだろう。

テレビは、面白い番組や先がどうなるのか気になるサスペンスドラマは、つい熱中してしまうので避けたほうがいい。もし見たいなら、途中でも安心して眠ってしまえるよう、録画したものにしよう。一方、すでに見たことがある2時間ドラマの再放送などは、気持ちをリラックスさせる効果があり、眠りにつきやすい。こちらも画面を暗く設定し、タイマーを使用しよう。

また室温も快適にととのえたい。寒すぎたり、暑すぎたりする環境で眠るのは、よい睡眠がとれないばかりか、直接的にからだに悪影響がある。エアコンなどで室温を管理した上で、冷え性の人は靴下の重ね履きをしたり、冬なら湯たんぽや貼るカイロを使うなど、工夫が必要だ。このとき、湿度も安眠に適している40〜60％に、加湿器で調整しよう。

そして鎮静作用があるアロマテラピーもいい。ラベンダー、オレンジスイート、マンダリン、ベルガモット、イランイラン、マジョラムスイートなどがよく使われている。マグカップにお湯を張り、精油を1滴たらして置いておくだけで、部屋中に柔らかな香りが広がる。

こうした環境をセッティングしたら、朝起きて夜眠るまでの、からだの自然なサイクル作りを実践しよう。意識してスケジュールを組み、眠りへの流れをつくることが大切だ。

毎日、朝陽を浴びて体内時計をととのえる。
日中に快適な環境で軽い運動をする。
ボリュームのある食事は昼食にして、夕食は軽めにする。
就寝の1~2時間前にお風呂に入って温まる。
できれば夜10時にはベッドに入り「睡眠のゴールデンタイム」に睡眠をとる。

これはよい睡眠をとるための基本5原則といわれている。

朝は、目覚まし時計で起きるのでなく、自然と目が覚めるようにしたい。睡眠中の脳波については第5章でくわしくお伝えするけれど、睡眠中にはレム睡眠とノンレム睡眠が交互に起こり、脳波の状態も変化していく。その変化につれて、記憶が定着したり、感情が整理されたり、免疫機能を高めるホルモンが分泌されたりするので、その活動を邪魔しないよう、自然に目が覚めるまで眠っていたほうがいいのだ。

朝、自然に目が覚めて、夜も自然に眠くなる。こうした作用をおよぼすのは「体内時計」の働きで、そのリズムをととのえるには、朝に太陽光を浴びることがいちばんだ。また日中に運動をすると、自然とからだが睡眠を欲求するようになる。適度な全身疲労の影響でもあるし、自律神経のリズムがととのうからだともいわれている。

また食事のボリューム的なバランスは、昼食をメインにして、夕食は軽めにしておくほうがいい。一般的なことをいえばお腹がいっぱいになると眠くなるので、夕食にたくさん食べたほうが眠りにつきやすいと思われがちだ。でも消化がすんでいない状態で眠ってしまうと、よい睡眠はとれないし、消化が適切におこなわれず健康にも悪い。

ほかに、お風呂も入り方によってはとてもよいサポートになる。自然な眠気は、からだの深部体温を上げた後、その熱が自然と下がっていくときに起こる。そこでベッドに入る1~2時間前に、お風呂でゆっくり体の芯まで温めることが大切だ。

お風呂を上がったら、ゆっくりとした深い呼吸をともなうストレッチやヨガをおこなうのもお勧めだ。もちろん、家族にマッサージをしてもらえたら最高だ。この特別な効果については後ほど、「愛情療法」のところでお伝えしよう。こういったゆるやかなボディワークは、脳のアルファ波が増加し、また心拍数も低下して、眠りに入りやすくなることが知られている。

またこのタイミングで、さらにこころをおだやかな状態にするため、家族とゆったり会話をして過ごすといい。とくに感謝や愛情を示す言葉、相手をほめる言葉をかけ合えれば素晴らしい。気恥ずかしいなどと言わず、せめて「今日はご苦労様でしたね」「手伝ってもらえて助かったよ」「ご飯が美味しいね」など、声をかけてほしい。こういった言葉は、言われた人だけでなく、言った人のこころにもよい作用をおよぼすのだ。

それから夜10時から翌2時までの「睡眠のゴールデンタイム」に、しっかり眠りについていることが大切だ。この時間帯には成長ホルモンが分泌され、その働きでからだ中の細胞が活発に再生される。これはもちろん、こころにもからだにもいい。

そのほか、よい睡眠をとるため控えたほうがいいことを挙げておこう。

お風呂上りに冷たいものを飲まない
寝る前に果物やお菓子など、ものを食べない
午後以降は緑茶も含めてカフェインを避ける
寝る前の2時間はパソコンやスマートフォンの使用を避ける

僕らが寝ている間は、身体活動も意識活動も、極限まで低下する。そうして生ま

れた余力は、すべてこころとからだのメンテナンスに注がれる。もちろん、がんに対抗する力も睡眠に左右される。

たとえばがん細胞を攻撃するT細胞は睡眠中に大量に作られるのだが、睡眠時間が短かったり浅い眠りだったりすると、充分に作られない。がんに対する戦力を、ダイレクトに落としてしまうことになるのだ。だから毎日、心地よく眠って、がんと闘えるこころとからだをキープしていこう。

【運動】こころの健康に効く太陽の恵み、新鮮な空気、大地のエネルギー

睡眠と並んで医師が勧めるもうひとつの方法、こころに効く軽い運動と、それに関連するケアをご紹介しよう。太陽の光を浴びる「サンニング」、大地に触れて生体電流をととのえる「グラウンディング」、そして快適な環境の中を20分ほど歩く

「ウォーキング」だ。

どれも手軽で、お金もかからない。でも自然のエネルギーは思っているよりパワフルだ。

手始めに、毎朝、目覚めたらカーテンを開けて陽の光を浴び、ついでに窓も開けて新鮮な空気を胸いっぱいに吸い込もう。何でもないことのようだけれど、意識しておこなうと、からだが生き返るように感じられると思う。

そしてもしお天気がよければ、外に出てみよう。太陽の光を浴びると、脳内で「セロトニン」という神経伝達物質が分泌される。

これは「幸せホルモン」とも呼ばれ、心を癒して、安定感や平常心をもたらすなど、ストレスバランスの調整をしてくれるし、脳を活発化させてすっきりとした気分にしてくれる。メンタル面の不調を回復させるのにとても役立つものだ。

また日中、陽に当たると、催眠作用を持つホルモン「メラトニン」の分泌量が、夜間に増えることが明らかになっている。夜に自然な眠りについて心身を回復させるためにも有効だ。

さらに太陽光にふくまれる紫外線は、僕らの皮膚でビタミンDを合成する。これは小腸でカルシウムの吸収を促進して、骨を健康にする。がん患者は治療の影響でどうしても骨がもろくなりがちなので、この点からも日光浴はお勧めだ。

太陽の恵みを受け取る「サンニング」は、自宅の庭でも、近所の公園やお寺、神社などでもできる。このとき、ぜひ裸足になって土の上に立ってみて欲しい。これは「グラウンディング」といって、れっきとした健康法のひとつだ。

人間をはじめ、地球上のすべての生物には0・06ミリアンペアの微弱な電流が通っていて、これを「生体電流」という。体内の血液やリンパの流れ、中枢神経から末梢神経まですべての神経伝達、脳や心臓の働き、そして細胞の活動にも、この生体電流がかかわっている。

大地にも同じ0・06ミリアンペアの電流が流れているので、「グラウンディング」をすると、弱ったり滞ったりしていた生体電流がととのえられるのだ。農業やガーデニングなど、日常的に土に触れている人が朗らかでエネルギッシュなのも、大地に触れているからだと僕は思っている。

あなたも土や芝生、海岸の砂浜に、ぜひ裸足で立ってみよう。普段、僕らのからだと大地は、ゴムや合成素材の靴底で遮断されてしまっている。その不要な壁を取り払って、大地のエネルギーをいただくのだ。手のひらで地面に触れるだけでもかまわない。

そして積極的に大地のエネルギーに意識を集中して、それをからだに取り込むようなイメージを静かに思い浮かべるといい。

また「グラウンディング」をおこなうとき、もしそばに大きな樹があったら、そのライフフォース（＝生命エネルギー）を感じるワークをおこなおう。僕は気功の先生に推薦された、良質な強い「気」を持つというパワーツリーでそれをおこなっている。

樹の前に立って、足を肩幅に開き、幹に両手の手のひらを当てたり、両腕を広げて抱きついたりして、エネルギーが流入してくるのを感じるワークだ。

僕自身は残念ながら、そういった繊細なエネルギーを感じ取るセンスがないのだけれど、樹の幹に触れる心地よさをたっぷりと味わっている。そして深呼吸をして樹の香りを吸い込めば、天然のアロマ効果でこころが穏やかになったり、シャキッと爽快になったりする。

さらに夏になると楽しめるのが、樹の生命音だ。幹に耳をつけてみると、木が水を吸い上げている音だろうか、何の音かは定かでないけれど、何やら生命活動をしている音が聞こえる。「この樹は生きている」と実感できるような、たくましい音なのだ。これをぜひ、あなたにも体験して欲しい。

また運動についてはＡ日中、からだの状態に合わせて、軽いジョギングや20分程度のウォーキング、あるいはお散歩が効果的だ。

天気のよい日に、安全で緑のある場所を歩いて、陽の光を浴び、新鮮な空気を味わって、鳥の声に耳を傾ける。こうした五感への心地よい刺激は、こころのよい栄養になる。

また偶然ご近所さんに会ったら、挨拶をして、立ち話を楽しもう。リラックスして自然とにっこりするような時間を持つことが、こころの癒しはもちろん、よい睡眠につながるし、免疫力を高めてがんに対抗するよいケアになる。


僕らの命という自然は、大自然の中の一部だ。でも人間はあまりに人工的で不自然なライフスタイルを送っている。そのままでは自然治癒力もしっかり働いてくれないだろう。自然のリズムや自然のエネルギーを取り込み、それと一体になることで、僕らの内面にある自然の力を活気づけていこう。

【イメージ療法】こころに思い描くイメージでがんを退治しよう

僕はホテルを訪れたゲストと一緒に、しばしばイメージ療法をおこなっている。イメージの力は馬鹿にできない。実際に病気の状態にまで変化をおよぼすこともあるのだ。ひとつの例をお話ししよう。

あなたはカール・サイモントンという人物が体系立てた「サイモントン療法」を知っているだろうか？　彼はアメリカの医師で、放射線腫瘍学と心理社会腫瘍学の専門家だ。イメージ療法を中心に、死生観に関する対話などのカウンセリングをおこない、がん患者さんとその家族をケアするメソッドを作り上げた。

彼が打ち立てたイメージ療法の効果を示す、ひとつの有名なエピソードがある。彼のもとでがん治療をおこなっていた女性医師ノリスが、脳腫瘍を患っていた9歳の少年、ギャレットを担当したときの話だ。

イメージ療法を始めるにあたって、ノリス医師はギャレットと話し合い、がんをやっつけるイメージ設定をした。彼は「スペースインベーダー」などのゲームが好きだったので、ギャレットの頭の中を太陽系に見立てて、脳腫瘍は太陽系に侵入してその存在を脅かす小惑星群という設定だ。そしてギャレットは戦闘機の編隊長、ノリス医師は管制塔の司令官という役だった。

このイメージ療法では、最初に誘導者が、深呼吸やかんたんなリラックス法を指導して、患者の心身を落ち着かせる。その上で、ゆっくりとガイドしながらイメージを展開させていく。

イメージ療法の最中、ギャレットは司令官の指示に従って、小惑星を次々と攻撃した。爆撃砲などさまざまな武器を使って、小惑星を破壊しながら歓声を上げて楽しんでいたという。

イメージ療法のやり取りは毎回、録音されていて、ギャレットはそれを何度も聞き返しては、がんを壊滅させるイメージを強くしていった。自分が映画の主人公になったようにストーリーを楽しみながら「がんをやっつけた」「自分は治ることができる」「もう大丈夫」とポジティブな思いを確信に変えていったのだ。すると、手術もしていないのにがんが小さくなり、最後には消えてしまった。

この話がマスメディアで伝えられると、世界中でイメージ療法が注目され、医療現場に広がっていった。そしてほかにも病状がよくなった人々の症例が数々、報告された。ギャレットが子どもだから効いたわけでなく、また彼だけに起きた特別な奇跡でもなかったのだ。

ギャレット少年のイメージ設定は、とてもユニークだ。万人にフィットするというわけにはいかないかもしれない。とくに日本人の場合、武器を使ってがんを破壊することに抵抗を感じる人も少なくない。そこで僕は、もっと平和で調和的なイメージを利用している。

僕がホテルのゲストの方々におこなっているのは「からだへの謝罪の旅」だ。僕がガイドをしながら、まずはリラクゼーション法をおこなっていく。からだの一部分に意識を集中して、力を入れては抜き、その部分をリラックスさせていく。最初は足の指からスタートして、全身を巡りながら少しずつリラックスを広げていく。

次いで深い呼吸を一定のリズムでおこなって、からだの中に意識を移し、イメージ誘導をおこなっていく。そしてがんができている部分を訪ねて、その部分の訴えを聞き、共感し、いたわり、謝罪するのだ。

「どうしてがんに謝罪をするのだろう？」と疑問に思う場合は、少し考えてみて欲しい。たとえば腎臓にがんができているとして、健康だったはずの腎臓にがんができたのは、どうしてなのか。腎臓が何か悪いことでもしたのだろうか。その罰としてがんができて腎臓が苦しめられているのか――。

もちろん、そうではない。腎臓自身にまったく責任はない。がんは、遺伝的な要因もあるけれど、過労や暴飲暴食、ストレスなど、僕らがからだをかえりみなかったために起きた「からだの反逆」、言い換えれば僕らへの文句の塊ともいえる。僕に関していえば、長年、無理を強いられた僕の腎臓が、不満や怒りや悲しみを抱え、それが結晶化してがんになったとも考えられる。

こうして改めてがんに対して深い気持ちを向けると、自然と詫びる気持ちが出てくる。無理をさせてごめんね、気にしてやらなくて悪かったね、不摂生のつけを全部背負わせてしまって申し訳なかったね、という思いだ。こうしてあなたに意識を向けられ、いたわりや謝罪の気持ちを向けられれば、がんが成仏してくれるかもしれない。

またキリスト教を信仰する人は、こんなふうに考えて欲しい。キリスト教では、からだは魂の尊い入れ物で、神さまからの大切な預かりものだと教えている。この世にいる間、管理をまかされているわけだ。それを、好き勝手にこきつかってボロボロにしてしまったことになる。そのままお返しできるだろうか。せめて今からでも、残りの命のすべてを使って大事に扱い、お返ししたいものだ。

神道でも、神さまをお迎えする場所を「神籬（ひもろぎ）」と呼ぶけれど、これになぞらえて、人のからだを「ひもろぎ」と呼ぶ人々もいる。そもそも神道では、人間の本質である魂は、神さまからいただいた「分霊」としている。からだはその分霊を迎えた「ひもろぎ」、神殿なのだ。だからこころをこめて大切に、丁寧にケアをしていこう。

イメージ療法では、がんを「憎い敵」「やっかい者」と思うのでなく、ポジティブな気持ちを向けてコミュニケーションを図る。このシンプルなアプローチが、こうした心境の変化を生んだり、病気に取り組む姿勢を変えたり、ときには病気そのものを好転させることにつながっていくと思う。

【音楽療法】〝癒しの周波数〟528ヘルツを全身に浴びる〝音の処方箋〟

街中で、ふと耳にした懐かしいメロディに、こころを動かされる経験は誰にもあると思う。「あの頃、あんなことがあったな」と昔の情景がありありと思い出され、懐かしさや恋しさで胸が締めつけられるような感覚になる。

一方、勇壮な音楽を聴くと、からだに力が入り、気合も満ちて、実際に血流がよくなって体温も上がったりする。音楽は、僕らのこころをいとも簡単に左右し、その影響はからだ中に広がっていく。これを利用したのが音楽療法だ。

がん患者への音楽療法は、105歳まで長生きされた医師の日野原重明先生が普及に尽力し、日本でもたくさんの病院に広がっている。ただし、ひと口に音楽療法といっても、実際にはさまざまな手法がある。

自分の思い出深い音楽を聴いて、こころを安定させる方法。
こころの中の感情を、歌や楽器で表現してデトックスする方法。
こころやからだによい周波数の音楽を、からだ全体に浴びるように聴く方法。

僕自身も、シンプルな音楽療法を実践している。「奇跡の周波数」「愛の周波数」「平和の周波数」とも呼ばれる、528ヘルツの音楽を聴くだけという、いたってお手軽なセルフケアだ。

実はこの音楽は、人の感情面に作用するだけではない。音楽という波動が、からだの波動的側面に働きかけ、心身を深い部分から癒してくれるのだ。

少し説明しておくと、僕らのからだは「物質」であると同時に「波動」、つまり形のないエネルギーという側面がある。このエネルギー的側面から計測すると、人間のからだの中の臓器は、それぞれ固有の周波数を持っている。

ところが生活習慣の乱れやストレスなどの影響で、本来の周波数を維持できなくなることがあると、その不調和は体調に影響する。そして機能障害から病気の発症へとつながってしまうこともある。

この波動の不調和は、外部から音楽という波動を浴びせて共振させることによって、本来の周波数に回復させることができる。周波数がととのえば、体調もととのっていく。いわゆる「波動療法」のひとつであり、中国やインドの伝統医学にみられる「気」の医学のひとつともいえる。これが、僕が聴いている音楽の正体だ。

具体的な手法でいえば、この音楽療法は「ソルフェジオ周波数」の知識にもとづいている。ソルフェジオとは、現代のドレミファソラシドとは異なる音階で、キリスト教の礼拝音楽であるグレゴリオ聖歌にも使用されている。ソルフェジオの周波数は、人間に特定の作用をおよぼすことがわかっていて、それぞれ異なった作用をもつ9つの周波数として注目されているのだ。

こころに落ち着きと安定をもたらす174ヘルツ。心身の機能の促進作用があるという285ヘルツ。罪の意識やトラウマ、恐怖心、不安を解放する396ヘルツなど、さまざまな作用がある。

僕が出合った528ヘルツは、ソルフェジオ周波数の中でも基本とされている、もっともパワフルな周波数だ。過度なストレスにさらされ、傷ついたり壊れたりした細胞のDNAを修復するともいわれている。僕のようにがんを抱えた人間にはうってつけだ。

ちなみに528ヘルツの音楽については、2015年に日本レコード大賞の「企画賞」を受賞して話題になったので、ご存知の方も少なくないと思う。また日本航空、全日空の国内線、国際線の機内音楽にも使用されているので、知らないうちに体験している方もあるだろう。

この周波数の音楽を聴くと、交感神経を抑えて副交感神経が優位になり、とてもリラックスする。習慣的に聴いている人からは「不眠症が治った」「イライラしなくなった」「集中力が上がって仕事がはかどる」「疲れがとれる」「昔の記憶がよみがえった」「冷え性だったのに体温が上がった」「便秘がよくなった」「肌の調子がいい」「慢性の腰痛、膝痛がやわらいで気にならなくなった」など、実にさまざまな作用が報告されている。

人によって起きる変化が異なるのは、おそらくその人なりの問題点が解消されていくということだと思う。中には「犬を留守番させるときに流しておくと、落ち着いて過ごしてくれる」というエピソードもある。また528ヘルツの音楽をワインに聴かせると、その前後で味が変わるという。僕は今、お酒は飲まないので確認できないけれど、元気な人には試してもらいたい。

また528ヘルツの効果については人を対象にした実験がおこなわれていて、「脈拍の安定」「体温の上昇」「唾液量の増加」「ストレスホルモンであるコルチゾールの低下」などが確認されている。

脈拍の安定は、心臓や循環器系はもちろん、全身の健康状態によい影響がある。また体温については1度下がると免疫力が30％低下するといわれているので、体温を上げることは、がん患者にとってとても重要だ。また唾液の量が増えると消化酵素が豊富に分泌され、胃腸の働きもよくなるし、高齢者でしばしば問題になる誤嚥も防ぐことにつながる。

さらにコルチゾールは、脳の短期記憶をつかさどる海馬という部分で増えると、認知症が進むことがわかっている。これを減らしてくれるのだ。実際に実証実験では、軽度認知症の疑いがある人々の症状改善や進行予防に効果的だと確認されている。

では、この心身の波動をチューニングしてくれる音楽を、どのように聴けばいいのだろう？　ヘッドフォンで聴くのもいいけれど、僕のお勧めは、スピーカーから流して全身で浴びる方法だ。耳で聴くだけでなく、音のシャワーのように全身で浴びる。これが本当に心地いい。僕のホテルでも、客室で聴けるように設備を備えていて、ゲストの皆さんに体験してもらっている。

528ヘルツの音楽は、インターネットで無料提供されているものもあるし、CDや音楽ダウンロードサービスなどで購入可能だ。音のシャワーを浴びる習慣を、あなたの養生生活にぜひ加えてみて欲しい。

【愛情療法】技術も知識もいらない〝オキシトシン・マッサージ〟の効能

マッサージなど、からだをほぐしてもらうケアは本当に気持ちがいい。ただし、ひと口にマッサージといっても多種多様だ。日本の国家資格になっているマッサージをはじめ、がん患者に人気のリンパマッサージ、植物の精油を使うアロマオイルマッサージ、ツボや反射区を刺激する足裏マッサージなど、健康理論やアプローチ法はさまざまある。

でも実は、たんに人が手で「触れる」だけでも、こころとからだに健康上、とても好ましい効果がある。マッサージももちろんいいけれど、特別な技術を身につけていない人でも、触れることで誰かを癒してあげることができるのだ。

たとえば、こころを許している人、信頼している人に手を握ってもらうと不安が消えたり、痛いところに手を当てたりさすったりしてもらうと痛みがやわらぐことは、経験上、誰もが知っていると思う。

この現象は、決して思い込みではない。触れ合う人とは、からだが接触した部分だけにとどまらない、強いつながりが生まれる。精神的な一体感はもちろん、からだの生理的な同調もみられるのだ。アメリカのコロンビア大学の研究チームがおこなった実験では、痛みが与えられた人と、手をつないだ人は、脳波、心拍、呼吸のリズムが同期することが確認されている。

さらにほかの研究では、「幸せホルモン」「癒しのホルモン」と呼ばれるオキシトシンが分泌されることもわかった。充分に安心できる人に触れられると、脳波がリラックスした状態のアルファ波になる。そして脳下垂体からオキシトシンが分泌される。これによって、不安や恐怖、悲しみがやわらぎ、からだの痛みも緩和され、さらに呼吸、心拍数、血圧が落ち着いた状態になるという。

ポイントは、愛情で結ばれた人におこなってもらうことだ。あまり好きではないし信用もできない人に触れられると緊張感が高まり、嫌悪感が生じてしまうこともある。これでは、かえって健康に悪いことになる。

またオキシトシンが分泌されているときのわかりやすいサインは、こころでキャッチすることができる。犬や猫などペットに触れ、「可愛い」と感じたとき、胸の中にスイートな感じが広がると思う。この感覚がこころとからだを癒すオキシトシンの、ひとつの表れだ。

またオキシトシンとは別の視点からも、タッチやマッサージが健康に作用する仕組みが説明されている。「グラウンディング」の紹介をしたところでお話した、「生体電流」だ。

水が高いところから低いところへ流れるように、エネルギーは強いほうから弱いほうへと流れていく。電気も同じだ。だから疲れたり弱ったりしたときには、元気で生体電流が旺盛な人に、からだをマッサージしてもらうといい。テクニックなど必要ない。ただ腕や背中を、なでたりさすったりしてもらうだけでもいいし、手をつなぐだけでも充分だ。

この効果は、元気いっぱいの子どもたちと日常的に触れ合っている、幼稚園や保育園の先生なら、よく知っていることだ。逆の例でいえば、老人介護などの仕事に就いている人は、お世話をしているお年寄りに自分の生体電流が流れていってしまうので、疲労感が強いのだという。

かつて僕の母が入所していた老人ホームに行ったとき、いつもよくしてくれているスタッフにお礼をいって「このお仕事は疲れますよね」と何気なく声をかけたら、彼女は「ええ、だから家に帰ってから孫を抱っこするんですよ」と答えた。

そのとき僕は「可愛い孫の顔を見ると、疲れも吹き飛びますからね」という意味かと思ったが、話をよく聞いてみると、そういった心理的なことではなく、触れることでこころもからだも元気になるのだという。彼女は生体電流のことなど何も知らなかったが、「赤ちゃんや子どもを抱っこすると元気になることは、老人介護の仕事をしている人ならみんな知っていると思いますよ」と話していた。

生体電流の面からも、オキシトシンの面からも、愛情でつながっている人とのスキンシップは健康にいいということだ。病気の人は元気な人から電気をもらい、元気な人は病気の人に電気をあげてほしい。

奥さんや旦那さん、あるいは昔は抱っこしてあげていた子どもが、今は大人になり背中をさすってくれたら、それは嬉しいものだ。あなたも「ねえ、ちょっと頼めるかな」と気楽に甘えてみてはどうだろうか。

重い病気になると「できるだけ家族に迷惑をかけたくない」と思って、遠慮してしまう人が多い。そんな人は、子どもの看病をするときのことを思い浮かべて欲しい。熱を出した子の頭にアイスパッドを当てたり、水分を取らせたり、汗に濡れたパジャマを着替えさせたりすることは〝面倒〟や〝苦痛〟だっただろうか。

心配な気持ちを別にすると、世話をやくことは、子どもが少しでも楽になるための作業なのだから、喜びだったはずだ。誰かのケアをすることは、基本的には喜びなのだ。

だから、必要以上に遠慮することはない。ケアをしてもらって、感謝をしっかり伝えて、お互いが癒されるよい機会にして欲しい。

第5章

この世と命の真実に触れる〝明晰夢〟

明晰夢(めいせきむ)の中ではどんな望みも実現できる

人間の本性、本当の幸せ、生きる目的は何か――。そういった答えは、日常生活や、その積み重ねである人生の中から知ることができる。でも実はそれだけでなく、非日常的な不思議な体験の中で、気づきや学びを得ることもある。僕のケースをお話ししよう。

あなたは「明晰夢」という言葉を聞いたことがあるだろうか。明晰夢とは、睡眠中に「これは夢だ」と理解しながら夢を見ている状態のこと。一般的には、そのように思われている。

でも、本当はそれだけではない。夢を見ていることを自覚するのは、明晰夢の第一歩に過ぎないのだ。僕は長年にわたって明晰夢を見続けてきた結果、その不思議な現象を数々経験した。そして人の意識の仕組みや幸せの本質について、大切なことを教えられてきた。

明晰夢の中では、夢の内容を、自分が望むまま、意図的にコントロールすることができる。空を飛んで上空から地球を眺めたいと思えば可能だし、小学生の頃の自分に戻りたいと思えばそれも可能だ。会いたい人と会うこともできるし、高級レストランに行って豪華な食事をただで楽しむこともできる。

しかも明晰夢では、視覚・聴覚・味覚・嗅覚・触覚の五感を、現実に近いレベルでリアルに体感する。まさに、自分の意思でもうひとつの世界をクリエイトすることができるのだ。

僕の明晰夢は、40代の頃に始まった。

そのとき僕は、夢の中で気分よくドライブをしていた。道の両側には葉っぱを豊かに繁らせた樹々が立ち並び、天気もすこぶるいい。ところが奇妙なことに、窓の外の景色が、後ろから前の方向に流れていく。車を前に走らせているのに、景色はグングン前に流れていくのだ。

「妙だぞ。こんなことは現実ではありえない、これは夢なんじゃないのか」、そう思った瞬間に目が覚めて、やっぱり夢だったとわかった。

その後、幾度か同じような経験をした。明晰夢の中では空を飛んだり、欲しいものを手に入れたり、何でもしたいことがかなった。そのうち、僕は夢かどうかを確認するため、空を飛んでみたり、ちょっと身体を浮かせてみるようになった。夢の中では、僕は重力の束縛から自由になり、空を思いのまま飛ぶことができたのだ。身体が浮いて夢だとわかると、僕は思い切り、自由と冒険を楽しむようになった。

「よし、お寿司屋さんに行こう」と思えば、瞬時にそこはお寿司屋さんになる。目の前にはカウンター越しに、お寿司屋さんの大将が僕の注文を待ってくれている。

僕は食べたいネタを頼み、お寿司のとろけるような舌触りやお酢の香り、ネタの味を堪能した。夢の中では値段の心配をする必要はないし、カロリーやコレステロールの心配もいらない。そこで僕は「大トロ」「ウニ」「大トロ」という具合に、高くて美味しいネタをどんどん注文した。どれもこれも素晴らしく美味しかった。

僕は「すごい、夢の中でこんなことができるのか」と嬉しくなり、「このことをみんなに教えてあげよう」と夢の中で誓った。

生まれてきたからには現実世界のあらゆることを経験しよう

僕は興味がおもむくまま、明晰夢の世界を探求した。そしていくつかわかったことがある。ひとつは、明晰夢で体験できる感覚は、どうやらこれまで実生活で経験したことに限られているようだ。それはこんな機会に気がついた。

あるとき、テレビを見ていたら、エジプトコーヒーの紹介をしていた。エジプトコーヒーは、豆を焙煎した後、細かいパウダーにする。そのパウダーを水と一緒に小さな銅製の鍋に入れて火にかける。煮立ったら火を止めてカップに注ぎ、スパイスやミルクを入れて飲む。コーヒーパウダーが少し混ざってトロリとしていて、苦みも甘みも強いらしい。

「一体どんな味なんだろう、飲んでみたいな」と思った僕は、明晰夢に入ったとき、試してみることにした。そしてせっかくの機会なので、エジプトのピラミッドの上で飲もうと考えた。

夢の中では、一瞬で時間も空間も飛び越える。ピラミッドの頂上には、そう広くはないけれどフラットな空間があり、そこにはテーブルとイスが置かれていた。席に着いて辺りを見回すと、眺めは壮大で、砂漠の向こうには悠々と流れるナイル川、そしてカイロの街並みが見えた。さらに少し視線を移すと、遠く地中海を臨むことができた。

僕はまったくいい気分だった。そして給仕をしてくれる男性に、エジプトコーヒーを注文した。小さなカップにコーヒーが注がれると、ワクワクしながら口に含んだ。ところがそれは、ただのアメリカンコーヒーだった。味も香りも薄い、馴染みのあるあの味だ。「これじゃなくて、僕はエジプトコーヒーを飲みたいんだよ」と給仕に淹れなおしてもらったが、次に出てきたコーヒーは、普通のエスプレッソの味だった。突っ返すと、今度はカフェオレが出てきた。そして僕は結局、エジプトコーヒーを味わうことができなかった。

これには本当にがっかりした。悲しいかな、僕は人生の中でエジプトコーヒーを飲んだ経験がなかった。だから夢の中でも、それを味わうことができなかったのだ。

明晰夢の中では、あらゆる望みを実現することができる。でも、そこには現実世界での経験が強く影響する。

潜在意識に刻みつけられた〝思い込み〟は強烈に影響する

以前に、実体験と明晰夢の関係について示す、こんな出来事があった。夢の中でストーブにあたっていたとき、「これは夢なんだから、触っても大丈夫」と思い、確かめるようなつもりで、手のひらでペッタリと熱せられた天板を触ってみた。

ところが熱い！ 熱いのだ。それはもの凄くリアルな感覚だった。僕は思わず手を引っ込めたが、手のひらはジリジリと痛み、肉の焼けたようなにおいがプーンと漂った。僕は大慌てだったけれど「これは夢だから大丈夫」と自分に言い聞かせた。その瞬間、目が覚めた。

これはおそらく、僕がかつて鍋やストーブに触れて火傷をしてしまったときの体験が、強く影響したのだと思う。その感覚がリアルに蘇ったのだ。

明晰夢の中ではなんでも可能だけれど、たとえ「ストーブに触っても大丈夫」と言い聞かせても、過去の体験が強烈だと、「ストーブに触れれば火傷をする」という潜在意識の思い込みのほうが優先される。そして、思い出の引き出しの中から過去に経験した感覚が引っ張り出され、火傷の痛みを味わうことになる。

もうひとつ、似たようなことがあった。明晰夢の中で、ビルの屋上からダイブしたときのことだ。このときも、夢だとわかっていたので、ちょっと冒険してみようと思ったのだ。

ところが屋上のへりを蹴って空中に身を投げた僕は、フワッと飛ぶことはできず、もの凄いスピードで落下し、地面にビシャッと叩きつけられた。激しい衝撃を受け、僕の身体はありえない形に折れ曲がっていた。

もちろん夢で死ぬことはないので、僕はムックリと起き上がって「へえ、夢だとビルの屋上から落ちても死なないのか。便利だな」と思った。しかし飛べなかったことは予想外だった。これも映画やドラマなどの印象や常識的な考えが、僕の中に強く刻み込まれていたからだろう。

自己啓発や心理学などの世界では、よくこんなふうに言われる。「望んだことがかなわないのは、『できっこない』『きっと失敗する』という強い思い込みのせいだ」「潜在意識の中にある否定的なイメージが、願望実現の邪魔をする」。

明晰夢においても、それは真実だ。「ストーブに触ればひどい火傷をする」という思い込みが強ければ、明晰夢の中でも火傷の痛みを味わうことになる。「ビルの屋上からジャンプすれば、地面に叩きつけられる」という思い込みが強ければ、飛ぶことができず地面に墜落する。

明晰夢では、経験した感覚しか甦らない。そして、経験による強い思い込みがあれば、夢で望んだようにならないこともある。このふたつは長年の経験の中で僕がつかんだ、明晰夢の法則だ。

人間の潜在意識には、人生のすべてが記憶されている

明晰夢の世界で実験を重ねているうちに、こんなこともわかった。人間の意識には、自分で認識できる「顕在（けんざい）意識」という領域と、通常は認識できない「潜在（せんざい）意識」と呼ばれる領域があるけれど、このうち「潜在意識」には、これまでの人生で経験したすべての情報が記録されていて、明晰夢の中ではその情報すべてにアクセス可能なのだ。

僕はあるとき明晰夢の中で、小学校2年生の自分に戻り、通っていた学校の教室に行ってみた。正直なところ、僕は当時の担任の先生の顔も覚えていなかったし、自分がどこの席に座っていたかも、すっかり忘れていた。それなのに、夢の中では当時の状況が細部までありありと再現されたのだ。

そして「ああ、懐かしい。モスラー先生だ！」「そうそう、僕の席はここだったよ」

「そういえば、このコンセントの差込口にクリップを突っ込んで、ショートさせて遊んだことがあったな」など、半世紀も前の記憶が、どんどん甦ってきたのだ。どんなに些細なことでも、僕は思い出すことができた。

そして、どうやら潜在意識には、これまでの人生で見たこと、聞いたこと、触れたこと、考えたこと、感じたこと、おこなったことなど、経験したことのすべてが寸分漏らさず記録されているとわかったのだ。しかも、たとえ経験したときに本人が意識しなかったような些細なことでも、目に入り、耳に入ったことはすべて記録される。

これは考えようによっては、少し怖いことでもある。僕らが普段おこなってしまった小さな悪事や嘘、それから頭の中で思い浮かべたよこしまな考えや悪だくみ、それらもすべて記録されているのだ。たとえ本人はすっかり忘れていても——。

催眠療法などを使えば、潜在意識にアクセスして、普段は忘れていた記憶を呼び覚ますことができるという。だが明晰夢は、それと同じことを催眠療法士なしでやっているのだ。

日本では、人は死ぬとき、人生の走馬燈を見ると言われている。これは世界中のあらゆる文化でも、同じような言い伝えがある。人生でおこなったことのすべてを見せられ、それぞれのおこないの本当の意味を深く思い知らされるというものだ。日本の古い言い伝えでは、地獄の閻魔大王が、「浄玻璃の鏡」と呼ばれる水晶に、死んだ人の生前のおこないを、一挙手一投足まで映し出すといわれる。そしてそのおこないが、人をどのような気持ちにさせたか、その影響を味わわされる。

これは決して、たんなる言い伝えとは言い切れない。実際に、一度心臓がとまって死亡宣告された後に生き返った人の臨死体験（Near Death Experience）を調べると、とても高い確率でこの体験をしていることがわかる。

このとき、ふたつの共通した特徴がある。ひとつは「過去の体験を、感情をともなって再体験する」ということ。もうひとつは、「自分のおこないが人に与えた感情も味わう」ということだ。

たとえば誰かを喜ばせたおこないならその人の喜びを感じ、誰かを悲しませたおこないならその人の悲しみを感じる。悪事をはたらいた思い出を振り返るときには、恥ずかしさと罪の意識で身もだえするほど苦しいという。

僕は明晰夢を経験するにつれて、明晰夢の体験はこうした臨死体験とそっくりなことに気づいた。僕らの意識の仕組み、そして命の仕組みについて、とても興味深い事実を示していると思う。

明晰夢が教えてくれた〝本当の幸せ〟と〝人間の本性〟

僕はもうひとつ、明晰夢から学んだことがある。テレビのニュースを見ていたときに、コンビニ強盗をはたらいた若者が取り調べで「スリルを味わいたかった」と語っていると聞いたことがきっかけだ。

僕はそのスリルを味わってみようと思い、夢の中でコンビニ強盗になった。

レジで店員さんに刃物を向けて、凄みの利いた声でお金を要求し、強奪した。そしてお店を出ると、建物の影からこっそり警察がやって来るのを見ていた。でも、ワクワクとスリルを楽しむどころか、とても虚しい気持ちがしたのだ。お金が手に入ったことも、少しも嬉しくなかった。むしろ、自分が盗まれているように感じたのだ。これはどういうことだろう？

明晰夢では、好きなものを食べて、好きなものを着て、好きなところに行って、好きな人に会える。望んだことは、たいてい何でもかなえることができる。でも誰かから何かを奪ったときや、人を苦しめたり悲しませたりしたとき、あるいはこっそり悪さをしたときは楽しくなかったし、まったく幸せではなかった。

反対に、夢から覚めて「今の夢はよかったな」「幸せな夢だった」と深い満足が感じられるのは、誰かに感謝された夢、そして家族と楽しく過ごした夢だ。人間の幸せの本質的なものが、ここにあるのではないかと僕は思っている。

誰かに幸せや喜びを与えてあげること。そして愛する人とともにいることが僕らの幸せだ。そして誰かから盗んだり騙したりしてお金や地位を手に入れても、人は本当の幸せを得ることはできない。

このことについて、僕にはひとつ思い当たることがあった。僕の母を、入所していた老人ホームに訪ねたときのことだ。

スタッフの方々は本当によくしてくれて、母も快適そうに過ごしていたけれど、それでも施設暮らしは退屈だろう。そう思い、僕は母に「どこか行きたいところはある？　どこへでも連れて行ってあげるよ」と聞くのだが、母は「行きたいところはないわね」と言う。「何か食べたいものはある？」と聞いても「何もない」と答える。

そんな母は、いつも僕らが帰るときに「今度はいつ来られるの？　また来てね」と言うのだ。行きたいところも、食べたいものもない母が、唯一望んでいたこと。それは愛する家族と会うことだった。

脳波の研究が明らかにした明晰夢の仕組みと効果

ここで明晰夢について、心理学や脳科学の面からわかっていることをまとめてお伝えしておこう。

明晰夢は、少なくとも1000年前のチベットで、僧侶たちの修行法として活用されていた。最初に科学的に明晰夢の存在を実証したのは、イギリスの超心理学者、キース・ハーンが1975年におこなった脳波の実験だ。それ以降、明晰夢は欧米の科学者を中心に、脳波を足掛かりにした研究が進められた。

人の意識の状態は、脳波によって分類することができる。興奮状態からリラックス状態、そして浅い睡眠、深い睡眠まで、次のように脳波が変化している。

◇**ガンマ波**（27ヘルツ以上）
怒りや不安などで興奮状態にあるときに発生する脳波

◇**ベータ波**（14〜26ヘルツ）
通常の心身の活動時や、緊張、不安、イライラした状態の脳波

◇**アルファ波**（8〜14ヘルツ）
①ファストアルファ波……緊張した意識の集中状態の脳波
②ミッドアルファ波……リラックスした状態で意識は冴えている
③スローアルファ波……ウトウトした状態、あるいは浅い睡眠（レム睡眠）状態

◇**シータ波**（4〜8ヘルツ）
浅い睡眠（レム睡眠）状態。瞑想状態

◇デルタ波（0・4〜4ヘルツ）

深い睡眠（ノンレム睡眠）状態。無意識で人が話しかけても目覚めない

かつて「人が夢をみるのは、浅い眠りであるレム睡眠のとき」と言われてきたけれど、最近の研究では、深い眠りであるノンレム睡眠のときにも夢を見ていることがわかっている。

レム睡眠中の人を起こすと、およそ80％、ノンレム睡眠中の人を起こすと、およそ20〜60％の人が「今、夢を見ていた」と答える。つまり夢を見ているとき、脳波はスローアルファ波から、シータ波、デルタ波までのいずれかを発生している。

では明晰夢は、どのような状態のときに見ているのだろう？

さまざまな研究によれば、明晰夢を見ているときの脳波は、このうちのシータ波だと示されている。

シータ波は、浅い睡眠状態をはじめ、瞑想中や、勉強に集中しているとき、あるいは作業に没頭しているときに発生する。また僕らが夜、自然な眠りにつく過程では、初めにアルファ波が発生し、次いでシータ波に交代する。その後は眠りの深さの変化にともなって脳波はさまざまに変化し、たっぷり眠った後、起きる直前にも比較的長い時間、シータ波が発生する。

シータ波は、とても興味深い。記憶をつかさどる脳の海馬(かいば)という部分と関係が深く、睡眠時にシータ波が発生しているとき、海馬がその日の経験や思考を整理して、記憶に残す情報を選り分けているという。コンピュータで言えば、デスクトップに乱雑に置かれている情報を、適切なファイルに収め、いらない情報をゴミ箱に捨てる作業をおこなっているわけだ。

最近では、シータ波が出るような状態を意識的に作り出せれば、勉強や仕事の作業効率が高まり、記憶力が冴え、固定観念にとらわれないひらめきがもたらされるのではないかとも考えられている。

また明晰夢を見ているときは、普通の夢を見ているときとは違って、脳のいくつかの部分が同時に働いていることや、脳の前頭葉が覚醒しているときと同じくらい活発に働いていることもわかっている。

いずれにしても、明晰夢は脳と意識の特別な状況下で起きていることが示されている。

あなたにもできる〝明晰夢を見る4つのトレーニング〟

明晰夢は、エンターテイメントとして楽しめるのはもちろん、実生活に対してさまざまな効能を発揮する。潜在意識との風通しがよくなるため、普段の状態では記憶から引き出せない情報を活用でき、ひらめきの力、深い理解力、洞察力、判断力が向上するなど、いわゆる潜在能力の開発につながるとされている。さらに僕が経験したように、命や幸せについて、さまざまな学びを得ることもできる。

実際に医学や心理学の分野でも、明晰夢を活用することで、心の治療やスポーツの訓練に効果があると注目されている。モントリオール大学で夢と悪夢の研究を進めているトーレ・ニールセンは、明晰夢を見させることで、ＰＴＳＤ（心的外傷後ストレス障害）などのメンタル疾患や悪夢の治療に応用できる可能性があると述べている。また夢の中でイメージトレーニングをおこなうことで、スポーツ選手の身体能力を向上させることもあるという。

僕は、この素晴らしい効能がある明晰夢をすべての人に体験してほしいと思う。そして、がん患者さんにはとくに強くお勧めしたい。

というのも、がん患者さんは、たいてい何らかの食事制限をしていると思う。僕が推奨しているケトン食療法をおこなっている人もいるはずだ。そのため食事のメニューは「あれもダメ」「これもダメ」と制限され、好きなものを食べることができない。

でも明晰夢の中でなら、お腹いっぱい食べたいものを食べることができる。これで食事制限のストレスからは解放される。がん養生生活を、そう苦しい思いをせずに続けることができるだろう。

では、明晰夢を見るにはどうしたらよいのだろう？

実は明晰夢は、手軽なトレーニングで見られるようになる。「明晰夢を見たい」という人は、ぜひ以下のワークをおこなってほしい。

◇明晰夢について知る

明晰夢というものがあると知るだけでも、夢の中で「これは夢だ」と気づきやすくなる。さらに明晰夢について詳しく知って、明晰夢の存在を確かなもの、身近なものと思うことによって、さらに気づきやすくなっていく。

明晰夢について、体験談を読んだり、知り合いと語り合ったり、学術的な研究について調べてみてもいい。「自分も明晰夢を見ることができる」と確信できたら、準備は万端だ。

◇夢日記をつける

枕元にペンとメモを用意しておいて、夢を見て目覚めたら、夢の内容を記録する。夢は目覚めた直後には覚えていても、歯を磨いたり顔を洗ったり、日常的な活動をすることで忘れてしまうことが多い。そこで目覚めたらベッドに横たわったまま、書き記すようにしよう。

夢日記をつけるときには、見た夢に関して覚えているすべてのことを書くよう心がけるといい。出来事のストーリー、湧き起こった感情、見えた光景、交わした言葉、聴こえた音、それから色、香り、シンボルなど、すべてをできるだけ多く思い出して、しっかりと書き残す。記憶がフレッシュだと、書いているうちに、どんどん思い出されてくると思う。

夢日記をつけることを習慣にすると、「覚醒状態の意識」と「夢を見ているときの意識」との間にある垣根が取り払われていく。そして明晰夢を見やすい状態に近づいていくと言われている。

◇瞑想をする

日常的に瞑想をおこなって、シータ波の状態をしばしば意図的に作り出して馴染んでおくことも有効だ。瞑想は、本当は指導者とともにおこなったほうがいいのだけれど、適切な人がいなければ、静かな環境の中で自分ひとりでおこなってもいい。

部屋は、昼間ならカーテンを閉め薄暗い程度の明るさにして、静かに座る。背筋を無理に伸ばして座ると、身体のあちこちの筋肉を緊張させるので、楽な姿勢でゆったりと座ったほうがいい。それからヒーリング音楽や瞑想用のお香、ハーブなどは禁物だ。

というのも、これらは聴覚や嗅覚などを刺激する。この瞑想によって目指すのは、五感を感じなくなり意識だけの存在になる状態だ。そのため、五感に対する余計な刺激は、最初からできるだけ排除しておいたほうがいい。

そして心を静かに〝無〟に近づけていく。そのためには、意識を自分の呼吸に集中するといいだろう。ゆっくりと吸って、ゆっくりと吐く。その行為に意識を向ける。呼吸はできるだけ静かに穏やかにおこなう。そして眠ってしまいそうな状態に自分を持っていく。だんだん呼吸の合間が長くなり、しばらく呼吸が止まった〝静〟の状態が訪れるが、その感じでいい。

また最初はさまざまな雑念が次々と湧いてくるけれど、それに引きずられて考え事に没入してはいけない。「雑念が湧いたな」と気づいたら、いちいち動揺したりイライラしたりせず、静かに呼吸に意識を向け直す。

息を静かに吸って、静かに吐く。吐くたびに、身体の力を少しずつ抜いていく。10~15分くらい続けると、身体の感覚が麻痺したような無感覚に近い状態になり、これが瞑想状態を深めるいい助けになる。そして意識が深い瞑想状態に入っていくと、自然と息がかすかになり、あらゆる感覚、思考がない〝無〟の瞬間を体験する。この状態にとどまり、味わうことが瞑想の目的だ。シータ波の状態と親しみ、明晰夢を見やすくなるので、ぜひおこなってほしい。

僕が得度（とくど）を得た禅宗では、座禅を組む。座禅で深い瞑想状態に入っていくと、雑念が少しずつ排除され、外部から入ってくる雑音など五感の刺激も遮断されていく。シータ波の状態だ。

ただし、そのまま深い眠りに入ってコックリコックリ船を漕ぎ出すと、座禅の場合は警策（きょうさく）と呼ばれる長い棒で、ビシッと肩を叩かれる。深い眠りのデルタ波に入ってしまったので叩き起こし、もう一度シータ波の状態に入るよう促されるわけだ。ひとりでおこなう瞑想でも、習慣にすることで、シータ波の状態にすんなり入っていけるようになるだろう。

◇ビジュアライゼーションのトレーニングをする

ビジュアライゼーションは、明晰夢を見るためのトレーニングとして、とても大きな役割を果たす。ビジュアライゼーションは五感を使って想像の世界をリアルに作り上げ、明晰夢に近い状態を、意識的に作り上げるものだ。

瞑想をするときと同じように、静かな環境の中で楽な姿勢をとって座り、目をつぶる。そして決めたテーマに沿って、イメージを作っていく。テーマは川でも花畑でも庭園でもなんでもいい。

たとえば「川」と決めたとしよう。渓流でも大河でもあなたの好きな川の情景をイメージする。この時点では、ぼんやりした光景だ。そのイメージをどんどん詳細化していく。川の流れのスピードに注目し、好みの流れをイメージする。同じように、川面に立つ水のうねりや光の反射、川べりの砂利石や雑草、川の中に見える水草や魚たちの素早い動き。さらに川べりで立つ水音や、鳥の声、青々とした草や土の匂い、手で触れた水の冷たさ、そしてその場にいるあなたの爽快な気分——。

こうしたことをありありとイメージし、世界を隅々まで作り込んでいく。この作業に集中することができると、覚醒したまま夢をみているような特殊な状態になり、脳はシータ波を発するようになる。まさに明晰夢とそっくりの、夢と覚醒意識が融合した状態だ。

夢の中で「これは夢だ」と気づけるよう習慣をつけていくことで、何度でも頻繁に見ることができるようになる。

できなかったことを何でもやってみよう。アトラクションやバーチャルリアリティのゲームのように楽しんでもいいし、会いたい人に会うのもいい。糖質制限など食事療法で我慢しているものを、思い切り食べてしまうのもいい。

そうして楽しんでいるうちに、いつしかスピリチュアルな世界に馴染み、この世や命の真実に触れることができるだろう。

第6章

牧師から僧侶になった僕が伝えたいこと

キリスト教の牧師として過ごした日々

僕は今、僧侶として人さまにお話をすることがあるけれど、もと牧師がいったいどういういきさつで僧侶になったのか、皆さん大いに気になるようだ。その点も含めて、宗教の教えと宗教団体は異なるものだということ、そして神さま仏さまの役割や祈りの力についてお伝えしていこう。

僕が最初に就いた仕事は、キリスト教の牧師だ。

アメリカ人の父と結婚した母は、キリスト教に入信すると、僕を教会に連れて行くようになった。教会は雰囲気がとてもよく、集う人々は善良で、僕にはとても魅力的に映った。そして教会に通ううち、次第に「牧師になって宣教活動をしたい」と思うようになったのだ。

教会には神学校があり、僕は高校に通いながら、週に1回、神学校で勉強をして、将来は牧師になろうと心を固めていった。卒業後は上智大学に進学したけれど、僕は英語教師や牛乳配達などのアルバイトをしながら、神学校の上位校である宣教学校に通い、大学の授業よりもその勉強に熱中した。

そのうちに、「牧師になるためには大学の教育はいらないな」「早く宣教活動に就きたい」という思いが強くなっていった。また当時は東大紛争など学生運動が盛んで、キャンパスで火炎瓶が飛び交うような時代だったので、授業はまともにおこなわれていなかった。そこで僕はすっぱりと大学を退学した。21歳の頃だ。

ただし牧師になったのはいいけれど、それだけで食べていくことはできない。そこでアルバイトとして英語教師をしながら活動をしていた。

大学をやめて宣教活動に専念した僕を、教会は主宰監督という最高位につけた。また僕は英語ができるので、関東全域の米軍関係の人々への宣教活動を担当することになった。横須賀、厚木、座間、相模原、横田、立川、所沢。これらの米軍基地の周辺住民に伝道するため、僕は曜日ごとにあちこちのエリアを飛び回って活動するようになった。このときの僕は本当に幸せだった。

自分の心が求める道に飛び込んで、信じることのために身を捧げる。その生き方にも教えにも、一片の疑いもなかった。またその活動で世の中の人々に貢献しているという実感を日々味わうことができた。

何が正しくて何が間違っているのかが自分の中で明白で、自分は正しい道を行きさえすればいい。このように、確信を持って人生をシンプルに生きる喜びは、なかなか得られないことだと思う。

僕がそれほど打ち込んでいた道を去ったのには、こんな理由があった。

僕は担当する複数の米軍基地に通いやすい、八王子で暮らすようになった。教会は年に数回、本部から人を派遣して、1週間ほど泊まりがけで僕に指導したり、信者さんを励ましたりしていた。こうした人が、ニューヨークにある国際本部からくることもあった。3万人を集めておこなわれた大会では、通訳としてかりだされ、一生懸命に仕事にあたった。

ところがトップの人々と交わる機会が増えるごとに、僕はかすかな違和感を抱くようになった。単純にいうと「人間性の面では、彼らよりも信者さんのほうがずっとピュアだな」という、一種の失望だった。少しずつ気持ちは離れていったが、そんな中、我慢できないことが起こった。

僕は担当する米軍基地の周辺で、軍属、つまり兵士ではない軍関係者に宣教活動をしていた。でも一軒一軒、家を訪ねていくうちに、もうまわるところがなくなってしまった。教えに共感してくれた人はすでに入信してくれ、残ったのはまったく興味がないという人ばかりで、家を訪ねて行っても「また君か！」ということになってしまうのだ。

そこで僕は、基地の中で伝道したいと考えた。横田基地の司令官に「教えを広めたいので許可をいただきたい」と掛け合うと、「苦情さえこなければいいだろう」という返事だった。そこで基地内で、一軒ずつ伝道して回った。それが成功して、入信者はどんどん増えていった。

教会の横田支部には、最高で96名の信者さんが集まった。基地の将校クラス、司令官クラスの軍人の奥さんたちが通ってくるようになり、そのうちにご主人も参加するようになる。ところが横田支部は、本格的にバプテスマ（洗礼）を受けるには、軍隊を辞めなくてはならない決まりがあった。これが問題の種だった。軍にとっては、重要な人材を教会に引き抜かれてしまう格好になる。僕は軍にとって敵というわけだ。

しばらくの間、この問題は表面化しなかったので、僕は同じことを、ほかの基地でもおこなおうとした。宣教の許可をいただきたいと申し出ると、横須賀基地では断られた。座間基地では司令官の返事が中途半端だったけれど、黙認してくれるということだろうと考え、宣教活動を始めた。こうして活動していたら、数か月後に愕然とするようなことが起こった。

横田基地を中心とする信者さん家族が皆、転勤でいなくなってしまったのだ。残った信者さんは、わずか4人だった。軍人を奪うような活動をした僕の教会をつぶそうという意図が感じられた。

基地は、最初に僕に対して許可を出した手前もあったからか、最後まで表立って宣教を禁止することはなかった。でも座間の信者も横須賀の信者もどんどん転勤でいなくなっていき、どのような目的で何がおこなわれたのかは明らかだった。

このとき、教会は僕を非難した。横田基地で許可を得ておこなったことなどすべてを説明したけれど、教会は聞く耳を持たず、僕に向かってこんなふうに言った。

「この教会から、神の霊が去ってしまった。それは何か悪しきことがあなたによっておこなわれたからです。そうでなければこのように急に信者が皆、去ってしまうようなことは起こらない。神のご加護が失われたのは、シャムレッフェル、あなたのせいだ」

僕は心血を注ぎ、誠実に職務にあたっていた。それなのに理不尽に否定され、耐え難い思いだった。教会からは幾度も問い詰められ、責めるようなことを言われた。信者さんたちは教会本部の人々の言葉をうのみにするので、僕は信者さんたちからも「教会を潰した人間」という不名誉を負ってしまった。

そして横田支部に残った4人の信者さんはよその支部に移ってしまい、僕の地位も失われてしまった。


僕はこの決定をした教会のトップたちに失望し、道を離れることを決めたのだ。さまざまな思い出がいっぱい詰まった八王子の土地も離れることにした。

僕をキリスト教の道に導いた母は、僕が10年近く、心血を注いで活動していたことを知っているので、とても悲しんでいたし、やめないでほしいと言っていた。けれど、僕にはもう続ける気持ちがなくなってしまった。

これが、僕が牧師をやめたいきさつだ。決してキリスト教に愛想をつかしたわけではなく、組織に失望して教会を離れたのだ。

がん患者で健康ホテルオーナーの僕が〝僧侶になった理由(わけ)〟

教会を離れて40年余り経ち、がん養生生活を送っていた僕は、曹洞宗(そうとうしゅう)の僧侶になった。お寺は、ここ健康ホテルRCSの3階にある、セミナールームだったスペースに作った。千葉県館山市にある「宮城山 頼忠寺」の別院、「伊豆山 長壽庵」という。

そして僕のお坊さんとしての名は「眞王」だ。

すでに、僕が僧侶になったのは、がんになって人生や命の価値について深く考える中で、人々に喜びや幸せを与え、感謝されるような生き方をしたいと思ったからだとお話しした。ここでは、もう少し具体的なふたつの理由をお伝えしよう。

ひとつは仏教にもともと関心があって、その教えの中に強く共感する部分があったことだ。日本で暮らしていれば、仏教と触れる機会はちょくちょくある。また30代の頃、少し仏教系の団体の集まりに顔を出していた時期があった。そういった機会に、仏教もいいものだな、と感じていた。

仏教のいいところは、何と言ってもおおらかで包容力があり、ひたすら優しいところだ。そして教義のある部分について、これは真理だと納得するところがあった。

ほかの宗教では、自分たち以外の宗教を「邪教」として、排除したり攻撃したりすることが少なくない。「イエス・キリストを信じる者以外は救われない」「救われるにはバプテスマが必要だ」と主張し、ときには信者ではない人々を否定したり、怖がらせるようなことを言う場合もある。

僕はこの点について、牧師をしていた頃から大いに疑問に思っていた。その一方、仏教は基本的には、ほかの宗教や宗派を否定したり、信仰しない人を攻撃することがない。またすべての衆生がブッダになる可能性（仏性）を持った尊い存在であること、そして仏教の教えによって、一人ひとりがいただいた命を自在に生き切って光を輝かせ、それによってほかの人々を照らす存在になれると説いている。

僕にとって、これは非常に重要なポイントだった。

もうひとつの理由は、僕が現在おこなっている〝がん養生生活〟の伝道活動に、大いに役立つと思ったからだ。僧侶になるとある程度、命や健康、スピリチュアルな事柄について、自由なメッセージを人々に伝えることができる。これが大きな強みになると考えたのだ。

たとえば僕は伊東のホテルで、ゲストの方々にさまざまな健康法についてお伝えしている。ただし僕は医師でもなんでもないので、立場で言えばホテル経営者、健康増進プログラムの指導者というビジネスマンだ。

こういった立場で、「この健康法をおこなえばがんがよくなりますよ」と言ってしまうと、薬事法違反、医師法違反になってしまう。僕は顧問弁護士の指導を受けて、法律に反することがないよう言動には細心の注意を払っているのだけれど、そうすると、たとえば体質改善の1週間のプログラムを提供するとき、自分の経験談くらいしか話すことができない。そのことにやきもきする思いがあった。

ゲストを励まし、勇気や希望を持ってもらえるよう「きっとよくなりますよ」と断言したい、そんな場面でも、その言葉をグッと飲み込まなくてはならなかった。

それが〝がん患者である僧侶〟という立場になると、少し自由な発言が許され、力強く言い切ることができる。僕はその自由を手に入れたかったのだ。

伊豆山・長壽庵の僧侶となった〝花祭りの日の得度式〟

ご存知の人も多いと思うけれど、僧侶にはいくつもの階級がある。僕が取得したのはいちばん下の法階、つまり僧侶の一年生だ。おこなった修行もカジュアルなレベルのもので、僕の資格では祈祷や法事をとりおこなうことは許されていない。新米の僧侶として、ここからひとつずつ学んでいくことになる。

僧侶の仲間入りをする儀式〝得度式（とくどしき）〟は、お釈迦様のお誕生日である4月8日におこなった。親寺である、千葉県館山市の頼忠寺に出向いて、方丈（ほうじょう）（＝曹洞宗のご住職）様の導きのもと、僧衣を身につけてお経をよみ、「戒律を護（まも）ります」という誓いの言葉をよんだ。

得度式といえば一般的に、髪の毛を剃り落として丸坊主になる剃髪（ていはつ）のイメージが強いと思う。ただし「在家の場合は、剃髪しなくてもかまいませんよ」ということ

花祭りの日の得度式（2018年4月8日）

だったので、僕は髪の毛を大事に残しておくことにした。そこで得度式では、剃髪の代わりに方丈様が僕の頭に剃刀（かみそり）を当てるしぐさをした。

また僕は僧侶になるにあたって、ホテルの3階にある広いセミナールームを、お寺にすることに決めていた。そのことを事前にご相談すると、「では化粧ケースに入れて安置することをお約束していただけるなら、ご本尊をお貸ししましょう」と、400年前に作られた立派な釈迦牟尼座像を貸し出し

千葉県館山市の頼忠寺の方丈（住職）様とご一緒に

てくださった。
　そしてこのご本尊に入魂していただき、我が寺「伊豆山 長壽庵」にお迎えする入仏式をおこなった。
　鈍い金色の仏さまは、須弥壇（しゅみだん）（＝ご本尊を安置する台座）の中央、金糸の刺繍をほどこしたフカフカの座布団の上で、目を軽く閉じ、両手を合わせている。
　この須弥壇にはご本尊のほかに、たくさんの釈迦座像、釈迦涅槃像などのお釈迦さまをはじめ、僕が出会ったさまざまな神さま仏さまの像や法具、宗教グッズを陳列している。もともとこういったものが大好きな僕は、見ているだけでもワクワクしてくる。

仏さまは役割分担をして僕らを救ってくれている

それでは長壽庵に安置してある神さま仏さまの、メンバー紹介をしよう。

目を引く仏さまのひとつは、罪障消滅、開運授福のご利益がある、「観音菩薩（かんのんぼさつ）」。観世音菩薩（かんぜおんぼさつ）とか、観自在菩薩（かんじざいぼさつ）とも呼ばれている。観音さまは、悟りを開く修行中の方で、あらゆる人々を救うために、美しい天女や恐ろしい鬼、お坊さん、おじいさんやおばあさん、子ども、兵士など、臨機応変に33種類の姿に変身するといわれている。

それから万能のご利益がある、「千手観音菩薩（せんじゅかんのんぼさつ）」。千本の手と千個の眼を備えているが、これは世の中の人々を漏らさず救うためだという。お顔は十一面あり、そのうちのひとつは鬼のような怒りの表情を浮かべている。

そして「阿弥陀如来」。阿弥陀如来は、全宇宙にいるすべての仏さまの師匠で、お釈迦さまにとっても先生にあたる存在だ。すべての不幸の根源を打ち破る、とてつもない力を持っている。

もうひとつ馴染み深い仏さまでは「薬師如来」を安置している。薬師如来の功徳（＝善いおこない）は現世利益で、人がこの世で生きるために必要なものを授けてくれる仏さまだ。中でも多くの人々が苦しめられている病気を癒し、身心の健康を守ってくださることで知られている。長壽庵の薬師如来は座像で、左手に薬壺（＝薬が入ったツボ）をのせ、右手は手のひらをこちらに向けて柔らかく垂らしている。

これは与願印と呼ばれる印相、つまりハンドサインだ。「あなたの願いを聞き届けましょう」というメッセージを表している。

ほかにも金運を授けてくださる大黒様、商売繁盛の恵比寿様、ご婦人の悩みを救

う お福さん、そして七福神の中国版である八福神など、神さま仏さまが勢ぞろいしている。

それ以外には、大小の水晶球、洞窟型の水晶やアメジスト、翡翠の数珠などのパワーストーンをはじめ、祈りの法具を置いている。

チベット密教の法具である十字型のドルジェ（別名ヴァジュラ）は、煩悩やこころの弱さを断ち切り、悪いものを打ち破る武器とされている。僕には使い方がわからないので、額に入れて大事に飾っている。

チベット密教の法具としてはもうひとつ、マニ車もある。マニ車は茶筒のような円筒形のもので、中央には軸が通っている。この表面を、手で軽くなでるように触れるとクルクル回転する。中にはお経が入っていて、時計回りに一周回すとお経を一回よんだことになる。

チベット密教の寺院には、本堂や仏舎利塔（ぶっしゃりとう）の周囲にこのマニ車がズラリと並べられていて、参拝者は歩きながらマニ車を次々と回していく。すると何度もお経をあげたのと同じご利益がいただけるのだ。僕は最初にこの話を聞いたとき、「仏教は怠け者にもやさしいのか」といたく感心した。

マニ車は日本語を読むことが苦手な僕にとってもありがたい。経文（きょうもん）には振り仮名がふってあるので読むことはできるのだけれど、それでもなかなか大変だ。そこで曹洞宗の僧侶にマニ車を使うことは認められることなのか、それとも好ましくないことなのかをお尋ねした。すると「否定はいたしません」という回答だった。

そもそも仏教は、ほかの宗教や宗派を否定しない立場をとっている。それにチベット密教は、現存する仏教の中でもっとも古い教えがそのまま残されているので、それを否定することはないのだろう。日本でも真言宗、天台宗、浄土宗の大本山にはマニ車が設置されている。

さらにその僧侶は「実はお坊さんもこれを使うことがあるんですよ」と、お経のＣＤをくださった。そこで僕は自分でお経をよむだけでなく、ＣＤを活用するとともに、マニ車をクルクル回すことにした。

また長壽庵の中には、壁にかけられた大振りなタンカが並んでいる。僧侶になった後、ネパールに行って手に入れてきたものだ。

タンカは中国のチベット自治区、ネパール、ブータン、モンゴル、北インドなどのチベット文化圏で作られている、布に描かれた色鮮やかな宗教画の掛け軸だ。うっとりと見入ってしまうほど美しいけれど、これは芸術品ではなく、信仰の対象物であり、法具であり、布教の道具でもある。仏教の経典を、絵で表したものだからだ。

経典にもとづいて、仏教の世界観を幾何学図形、曼荼羅（まんだら）で表したものや、数々の仏さまが描かれているものが多く、仏さまたちの立場やその関係、それから大日如来の教えが現実世界に広がっていく様などが、絵で示されているのだ。

これらのタンカや仏像、法具などの多くは、僕がインドやタイ、ネパールで出合い手に入れたもので、どれも思い入れがある。その中でも特別なご縁で僕の元にきた、ふたつの神さま、仏さまをご紹介しよう。

我が寺に〝避難中〟の神さま仏さまの物語

ひとつは、カンボジアの首都、プノンペンから２５０キロほど離れた田園地帯にある、アンコールワット遺跡の一部だ。

アンコールワットはクメール王朝時代、１１００年頃にできた寺院だ。かつてはヒンドゥー教のビシュヌ神がまつられていたが、今は仏像が安置されている。

アンコールワットは１９７２年、カンボジアに内戦が勃発すると、ポル・ポトが率いる政党、クメール・ルージュによって占拠された。アンコールワットには城郭やお濠があって要塞のような構造をしていたので、戦闘軍の本拠地にされたのだ。

このとき、遺跡のあちこちが破壊されてしまった。仏像は首を刎ねられ、レリーフは叩き崩された。本当に心が痛むことだ。

僕は、このアンコールワットが観光地として賑わうようになる以前、まだ拝観料もとらなかった時代にはじめて訪れた。

平原の中にたたずむ石造りのアンコールワットは、間近にするとそびえる岩山のように大きな建造物だった。そして本堂をめぐる3つの回廊には、端整なレリーフがほどこされていた。インド叙事詩の「マハーバーラタ」「ラーマーヤナ」をモチーフにしたものや、ヒンドゥー教の天地創造神話の一場面などで、崩れている個所も多かったけれど、それでも見事で見惚れるようだった。

このとき遺跡を見上げては眺め、手で触れては味わっていると、ふと足元に、石の欠片が落ちているのに気がついた。拾ってみると、それは女神の像が刻まれた小さなレリーフの一片だった。

そこで見上げると、確かに小さく欠けた部分があり、パズルのピースのようにピタリと合いそうだった。「あの部分が欠け落ちてしまったのか」とわかったけれど、僕は「さて、どうしたものか」と考え込んでしまった。

当時、アンコールワットに管理事務所などはなく、周囲では近所の子どもたちが石を投げたりして遊んでいる。この欠片も、このままにしておいたらきっと遊びに使われて紛失したり、砕かれてしまうだろう。

そこで僕は「そのうち修復が始まるだろう」「また来たときにこれを渡して直してもらおう」と思い、大事に保管するつもりでタオルに包み持ち帰ってきた。

ところが数年後、この欠片を持って現地を再訪したら、様子がすっかり変わっていた。参道が手入れされ、遺跡の破壊された部分や風化によって朽ちていた個所が、きれいに修復されていたのだ。

僕がレリーフの欠片を拾った場所に行くと、その部分もすでに修復されていた。欠けていた部分には、僕が持っているのと同じ彫刻をほどこした石が、きれいにはめ込まれていた。そこで行き場がなくなってしまったこの欠片を、今でも僕が保管することになったわけだ。

もうひとつは十数年前、カンボジアの首都プノンペンで手に入れた、バーミヤンの仏像だ。

かつて僕は、NGO（非政府組織）の一員として、カンボジアの開発支援活動をおこなっていた。井戸を作ったり、学校を作ったり、また現地の人々の産業推進活動として、釣った魚を佃煮にして売るビジネスを支援したりもした。この活動ではアーティストの浜崎あゆみさんも井戸を寄付してくれ、よい成果が大きく広がっていた頃だった。

こうした活動の一環でプノンペンに滞在していたとき、僕は仲間と一緒にカジノを訪れた。そこでギャンブルを楽しみながら、気になる話を耳にした。

当時はアフガニスタンの内戦が激化する中、イスラム原理主義組織タリバンが、バーミヤン渓谷にあった巨大な石仏を爆破したというニュースが世界中に伝えられていた。ほかにもバーミヤンの石窟寺院には数々のレリーフや仏教壁画があったが、タリバンは国際社会から強い非難を浴びながら、これら貴重な仏教遺産を片っ端から破壊してしまったのだ。

バーミヤンは仏教にとって歴史的にとても重要な地だ。かつてインドのブッダガヤで生まれた仏教がシルクロードに沿って西へと伝わっていったとき、このアフガニスタンやウズベキスタン周辺でイスラム教とぶつかって、西の終焉の地となった。7世紀には高さ55メートル、38メートルのふたつの石仏は金色に彩色され、寺院には数千人の僧侶が住む、一大仏教都市だったのだ。

その後も、タリバンが支配するまでは仏教遺跡が残されていたが、僕がカンボジアで活動していた頃、大規模な破壊が起こってしまった。僕が気になったのは、このときに破壊を逃れるため、数々の仏像が海外に逃れ、その多くがカンボジアに集まっているという話だった。

バーミヤンをはじめアフガニスタンの仏教徒たちは、もし家に隠した仏像がタリバンに見つかったら、仏像を壊されるだけでなく、家族全員の命が奪われてしまう。そこで大切な仏像を避難させるため、商人に売っているということだった。もちろんお寺の仏像も同様で、どこのお寺も空っぽになった。このとき避難した仏像の多くがカンボジアに集まったのは、国境の警備や入国審査が、あまり厳しくなかったことが理由かもしれない。

話を聞いた僕は、無性にそれらの仏像を見たくなった。すると仲間のひとりが知り合いのつてをたどって話をつけてくれ、数日後に見せてもらえることになった。案内してもらうと、表向きは普通のお土産屋さんだったが、奥に仏像がいくつか並び、ひと目で特別なものだとわかった。中でもひとつ、とても穏やかな表情をしている仏像があって、僕は一目惚れをしてしまった。僕に「連れて帰って」と囁いているように思えたのだ。

僕は即座に心を決めた。この仏像を買って大事に日本まで持ち帰り、アフガニスタンに平和が訪れたあかつきには、この仏像を連れ帰ってあげようと考えたのだ。最初に提示された金額は高かったけれど、「いつかアフガニスタンに返してあげるんだからまけてよ」と頼んで値下げしてもらい、仏像を手に入れた。

その仏像が、僕のお寺の須弥壇に安置されている。すらりと細い身体に、現地でおこなわれていたように装飾をしてあげたいと思い、水晶玉や象牙の首飾りをかけている。

僧侶とゲストが学び合う〝お寺つき〟の養生ホテル

僕は僧侶の立場を得たことで、ホテルを訪れたゲストに対して、かなり自由な発言ができるようになった。医師が下す診断には希望が欠けていることが多いので、僕のもとでは勇気や希望や生きる気力を湧き立たせてほしいと思い、健康プログラムを指導しながらこころのサポートにも気を配るよう心がけている。

ゲストの皆さんには、長壽庵を案内しながら、仏教に関するお話をすることもある。温かいお釈迦様の教えによって、安心感や癒しを提供できることもあるし、自分の命の価値を再確認したり、瞑想やお祈りを始めるきっかけになることもある。そんなとき、僕はカジュアルな法衣を身につける。

お坊さんの着る物といえば、袈裟（けさ）のイメージが強いと思う。ちなみに袈裟というのは黒い衣（ころも）のことではなく、黒衣（こくえ）の上にまとう、色のついた長い布のことだ。これは宗派によって色やスタイルが異なり、曹洞宗の袈裟は非常に長い。何をするにも動きにくいし、袈裟を含めて正式に法衣を着るとなると、下着から足袋から丸ごと着替える必要があるので、すごく時間がかかる。

そのため略式の袈裟として、絡子（らくす）というものがある。僕はこれを愛用している。輪になった部分を首にかけて、胸の前にパッチワークのように縫い合わされた四角い布を垂らす形になっている。これは本当に便利だ。

お坊さんとしてカジュアルな装いでかまわないときは、作務衣や普段着の上に、絡子をかけるだけでいい。僕はゲストの皆さんと変わらない普段着の上に絡子をつけ、家族の話、精神の話、仏教的な対話をして過ごしている。

日常的な環境の中では、落ち着いたこころで生きる目的や人の死、神さまや仏さまについて思いを馳せる機会が持ちにくい。でもお寺でそういったお話をすると皆、深い思索を巡らせる。そしてたくさんの自分なりの気づきを得て、こころの癒しや支えを見出している。

願ったことが実現する〝祈り方〟4つのルール

僕は僧侶として、ゲストの皆さんに「祈り」の大切さを、よくお話している。

こころから雑念を取り払い、あるときは一心に願いを訴え、あるときは神さま仏さまに運命をゆだねる。このシンプルな行為は、こころを通じてからだの健康にもとてもよい作用を広げていく。

さらに願ったことが、実際にかなうこともある。そこでふと浮かぶのは、「祈りがかなうか、かなわないかは、何によって決まるのだろう？」という疑問だ。

実は、僕は僧侶になった後にネパールに行き、現地の僧侶にこのことを尋ねてみた。

「世の中の人はそれぞれ苦しみを抱え、一心に祈っているけれど、願いがかなわないことが多い。これはどうしてなのでしょう？」と質問したのだ。すると僧侶は「神仏に力がないわけでなく、祈り方が悪いんですよ」と、正しい祈り方を教えてくださった。

僕はこのときにうかがった話を帰国してから整理し、４つに分類したので、それをお伝えしよう。

①願いにふさわしい神さま仏さまに祈ること

まず祈りがかなわないのは、祈るお相手を間違っていることが多いという。たとえば悟りを開いたお釈迦さまに、僕らの身近な願い、いわゆる「現世利益（げんせりやく）」的なことをお願いするのは間違いだ。

人間を救うことを担当しているのは、悟りを開いた仏さまの、ひとつ手前の段階にいらっしゃる菩薩さまだ。でも菩薩さまが救うのは「こころ」なので、「どうか宝くじを当ててください」「大学に合格させてください」と頼んでも、そのまま聞き届けてくださるわけではない。たとえば「宝くじなんか当たらないほうがあなたのためですよ」「大学など行かなくてもあなたは幸せになれます」ということにもなる。

つまり、神さま仏さまにはそれぞれ担当があるので、お願いする神様をちゃんと選ばなくてはいけない。病気の治癒を祈るなら薬師如来。お金持ちになりたいなら大黒さま。ビジネスで発展したいなら弁財天。過去の罪を赦してもらうなら観音様。

そして千手観音はオールマイティだ。

これはキリスト教でも言われていることだけれど、神さま仏さまは人間を、自分に似せてお創りになった。そして人間界の仕組みも、神さま仏さまのいらっしゃる世界に似せてお創りになっている。だから人間界の仕組みをみれば、あちらの仕組みを理解することができる。

たとえば、ちょっと考えてみてほしい。あなたは自分の家の前の道路が陥没して困っているからといって、総理大臣に「なんとかしてください」と頼みに行くだろうか？　そうではなく、市役所や区役所の担当部署にお願いすると思う。それと同じことだ。仏教であれば、まずお釈迦さまに祈りを捧げるとともに、かなえてほしいことは、ちゃんと担当している神さま仏さまにお願いしよう。

②願うだけでなく、ホウレンソウ（報告・連絡・相談）が必要

ネパールの僧侶によると、すべての神さま仏さまにはこころがあるので、こころを動かさなければ祈りはかなえていただけないという。そして、こころを動かすには「自分が何のためにそれを望んでいるのか」「それを実現することで、自分や周囲の人々や世の中がどのように幸せになるのか」を、きちんと訴えることが大切だという。

つまり「命を長らえさせてください」と願うとき、長くしてもらった命で何をおこなうのか、それを誓っていなければ、かなえてもらうことは難しい。

たとえば孫がお祖父ちゃんやお祖母ちゃんに「お小遣いちょうだい」とねだるよりも、「お母さんに母の日のプレゼントをするからお小遣いちょうだい」と頼んだほうがかなえてもらいやすい。同じように、会社のお給料を上げてもらいたいときに、社長にただ「給与を上げてください」と言っても難しい。でも「自分はこういう成果を上げました。今後はこういう改革をして会社に貢献します」と訴えれば、通りやすくもなるだろう。祈るときにも、こういったことが必要だ。

またお願いしっ放しではなく、途中経過を報告し、感謝を捧げ、自分が努力することを誓うことも重要だ。そして祈りが聞き届けられたら、喜びと感謝を伝えよう。神さま仏さまとの、より親しい関係にもつながると思う。

③願いにかなった行動、生き方をすること

この現実世界に、いちばん直接的に影響を与え、変化を起こすことができるのは、我々生きている人間のおこないだ。たとえ神さま仏さまがあなたの病気を癒してあげようとしても、あなたが悪化させるような食生活やストレスの強い生活を続けていたら、強力に邪魔をしてしまうことになる。

だから願いが実現するよう、自分の行動も、在り方も、願いに沿ったものにすることが大切だ。「お願いしたから大丈夫」「おまかせした」という姿勢でなく、自分も願いがかなうための最大限の努力をして、神さま仏さまと一緒に同じ方向へと事態を動かしていくことが必要だ。

④どうしてもかなわなかったら、願いを変えること

ここまでにお伝えしたことをすべて守った上で祈り続けても、どうしても願いが実現しない。そんなときには、願い自体を変えることが必要かもしれない。というのも、神さま仏さまの返事が、「ノー」という可能性があるからだ。

僕ら人間の視点と、神さま仏さまの視点は異なっている。もちろん神さま仏さまの視点のほうが、より広く、より深く、物事の真実を見通していらっしゃる。その結果、僕らが願ったことが、より広くより深い視点からは「最善ではない」「だからかなえない」ということもある。

たとえば幼い子どもが「駐車場でかくれんぼをしたい」と願っていたとして、愛する親は決してそれを許すことをしない。子ども自身には理解ができないけれど、かなえないことが本人にとっても世の中にとっても幸せなことだからだ。

神さま仏さまも、そのように温かい真実を見通したこころで、願い事をかなえるか、かなえないかをお決めになっているのだ。こうしたことをしっかり理解した上

で、真っ直ぐなこころで祈ってみよう。

第7章

病気に縮こまらず思い切り人生を楽しむ方法

学んで癒せる健康養生ホテル「RCSセミナーハウス」の設立

がんになると、本人もその家族も、生活ががんに支配されて暗く沈んだものになってしまいがちだ。もちろん命に関わることなので、決意を持ってライフスタイルを一新することは重要だ。でも人生のさまざまな楽しみを、ないがしろにすることはない。むしろ精一杯、心が躍るような楽しい体験をしてほしい。

僕のがん養生生活にも、楽しいイベントがいくつもあった。中には冒険的なチャレンジも含まれている。僕のようにからだ中に30個のがんができていたって、人生を楽しむことを遠慮する必要などひとつもない。

参考になるかどうかはわからないけれど、いくつかご紹介しよう。

ひとつは、思い切って「健康養生ホテル」を作り、オーナーになったことだ。

この冒険的なチャレンジに踏み出したきっかけは、周囲の人々の、僕に対する反応だった。僕は性格的にオープンなタイプだし、がんを隠すことでおつきあいに不都合が生じてはいけない。それでがんであることを公表していたら、友人知人の中にも〝隠れがん患者〟がたくさんいることがわかった。日本では2人のうち1人ががんになるというデータがあるけれど、その数字を実感するほどだった。

彼らは余命宣告まで受けた僕が元気に過ごし、余命をグングン延ばしている様子を見て「具体的に、どんなケアをしているの?」「自分にも教えて欲しい」と要望を寄せてきた。そして「一人ひとりにお話しするのが大変だったら、セミナーを開いてはどう?」という声もいただき、そういった活動を始めようと決意したのだ。

しかしプランを練るうち、僕の経験談やさまざまなトリートメントの知識をお話しするだけでなく、実際にその心地よさや効果を体験してもらうことが重要だという思いが強くなった。僕自身が、スペインのバドウィック療法の施設や断食道場を訪ねたときのことを思い出したのだ。

プログラムを受ける前は、自覚はなくてもからだが重だるく、またさまざまな機能が低下している。その感覚と、トリートメントを受けた後のスッキリと軽やかな感覚、気持ちの爽快さを比較して味わうと、意識がガラリと変化するほどの説得力がある。これを実感すると、「ずっと続けよう」「自分のがんもよくなるかもしれない」と思えるのだ。

そこで僕は「トリートメント体験型」の施設を作ろうと決めた。そしてもとは旅館で、その後ある会社の保養所となっていた物件を取得して、大掛かりな改築をして健康養生ホテルを作ったのだ。この施設をかんたんにご紹介しよう。

癒しの技を結集させた〝健康のテーマパーク〟

館内に入ると、正面には広々としたラウンジがある。ゆったりとしたソファセットと大画面テレビを設置し、ゲストの皆さんにくつろいでもらったり、希望に合わせて、小さなセミナーや、分かち合いの会や、お茶会を開催する。

庭から山盛りに摘んできたミントでいれたお茶や、からだの中から温まるショウガ紅茶、免疫力を増強するモリンガ茶などを飲みながら、理解し合える人同士がうちとけて過ごすひとときは楽しい。

その奥には、ビリヤード台を置いたプレイスペース、そしてダイニングスペースが広がっている。この食卓では腕のいい板前さんご夫婦が作る、美味しい健康食が味わえる。

ゲストには「通常の健康食」、僕のがんにも目覚ましい効果が表れた「ケトン食」、からだの機能をリセットする「ビタミン・ミネラル・酵素断食」など、希望のコースを選んでもらう。そして実際に体験しながら健康食の作り方、摂り方などを覚え、自宅でのセルフケアに役立ててもらっている。

そして2階と3階には、客室が並んでいる。さらに枇杷葉温圧療法などをおこなう「セラピールーム」、バーカウンターがついた「カラオケラウンジ」、そして広々とした「多目的ルーム」がある。この多目的ルームは現在、長寿庵のご本尊を安置した「お寺」「セミナースペース」、そしてからだを癒す「ケアスペース」となっている。

ケアスペースには、健康機器がズラリと並び、それらを自由に試すことができる。設置している機器のひとつは、野球選手などのアスリートも使用している「高圧酸素カプセル」だ。中に寝そべってスイッチを入れると、気圧が高められ、高濃度の酸素で充満する。

その状態で静かに呼吸していると、サイズが小さく毛細血管もスイスイ流れる「溶解型酸素」が体内に増え、からだの隅々まで新鮮な酸素が届けられる。これとケトン食、ケトンサプリメントを併用したところ、マウスのがんが消えてしまったという研究結果もある、効果の高い機器だ。

もうひとつは「マイクロ波照射器」。波長の短い電磁波をからだにあて、内部で熱を発生させて、熱に弱いがんを焼きつぶそうというものだ。病院では手術をしてがんに直接、マイクロ波をあてる方法がとられるけれど、そのマイルドなバージョンをセルフケアでおこなうことができる。

がんに直接ダメージを与えるほか、血液やリンパの流れを促進して免疫力を高めたり、痛みを生じる発痛物質を患部から排除するなど、がん患者さんにとってよい作用がたくさんある。

ほかに紹介しておきたい機器としては、「近赤外線　ケイ素浴ボックス」が挙げられる。これは今、がんの先進治療として注目を集めている「光免疫療法」にあやかった治療機器だ。2～3人用のサウナボックスのような設備で、中は厚さ5センチのケイ素の岩盤で囲われている。

ここに入るときは、事前にケイ素のお茶かサプリメントを服用する。ケイ素はがんの転移を抑制する作用があり、その研究で特許を取得した会社が、この設備を作っている。中に入ってスイッチを入れると40度ほどに温まり、放射される近赤外線とケイ素の作用によって、血液循環の促進、免疫細胞の活性化、抗酸化作用をはじめ、がんに対する複合的な効果が期待できる。

がん患者さんは皆、治療を受ける中で苦痛や我慢を強いられる場面が多い。だからセルフケアでは、このように快適で心地よく、癒しを感じながら効果が得られることをおこなって欲しい。そう思い、用意した設備だ。

もうひとつ、僕が力を入れた、癒しの温泉についてご紹介しておこう。

このホテルには、敷地内源泉かけ流しの温泉浴場がふたつあって、温泉療法のさまざまなバリエーションを楽しむことができる。僕は開業当初から、この温泉を奇跡レベルの効能を実現する「奇跡の湯」に作り上げようと、工夫をこらしてきた。

参考にしたのは、世界各地の「奇跡の泉」や「癒しの温泉」だ。その水を飲んだり、からだを浸すことで、通常では考えられないような治癒が起こる、そんなエピソードが山ほどある名所ばかりを集め、その特徴を調べ上げ、再現したのだ。

癒しの泉や温泉の特徴は、以下のとおりだ。

◇水の中に豊富な水素や活性水素が存在すること
◇マイナスイオンを放出していること
◇微量の放射線が放出されている土地であること
◇生体電流と同じ微量の電気が流れていること
◇ゲルマニウムが含まれていること
◇塩化物泉であること

僕のホテルの温泉は、もともと泉質が塩化物泉なので、その点はクリアしている。そこでほかの要素について、我が癒しの温泉に実現することにした。

水素については、湯船に「水素生成器」を設置した。水素は、そのままではすぐにお湯から抜けてしまうので、お湯にとどめる作用があるケイ素を入れることが必要なのだけれど、僕の温泉では幸い、もともとのお湯にケイ素が含まれている。

マイナスイオンについても発生機を設置して、さらにブラックトルマリン、ブラックシリカという、2種類の自然鉱石をお湯に入れてある。これらはマイナスイオンを豊富に放出するのだ。

さらに自然放射線であるラジウムを放射する「北投石（ほくとうせき）」「蘇生石（そせいせき）」という希少な岩石も湯船に入れてある。ちなみに「北投石」は、がんの本格的な湯治として有名な秋田県、玉川温泉のものだ。現在は特別天然記念物に指定され、採掘することができないけれど、僕は運よく、それ以前に採石されたという保証書つきのものを入手できた。

もうひとつの要素「生体電流」については、「ブラックトルマリン」「ブラックシリカ」「チタン」を湯船に沈めて、お湯に微量の電気が流れるようにしてある。さらにお湯にゲルマニウムを含ませるため、「ブラックゲルマニウム」を設置した。この温泉は、もともとの泉質にも恵まれていて、水上にある日本一の温泉と、ほぼ一緒の泉質だ。それにプラスして、これだけの健康アイテムを加えパワーアップした。このお湯にゆったり浸かりながら、大きな窓の外にある緑豊かな日本庭園を眺め、のんびり過ごして欲しい。

入浴施設には、ほかにも「高温風呂免疫療法」のための浴槽、「よもぎ蒸し＋枇杷葉エキス座浴」、そして芝生の庭に設置した小さな岩盤浴ルーム「ボルケーノハウス」がある。気持ちがいいことはもちろん、「高温風呂免疫療法」は僕自身が入浴の前後におこなった血液検査で、実際に免疫細胞の数が大幅に増加したことを確認している。詳細はぜひ僕の本『「がん」の上手な手なずけ方』を読んで欲しい。

ここでご紹介したのは、おもに設備などハードの部分だけれど、もちろん、どのようにおもてなしやケアをおこなうか、提供するプログラムをどのような構成にするかなど、ソフトの面でもオープン以降、少しずつ成長を続けてきた。

嬉しいことにこれまで、この健康ホテルには、たくさんのゲストをお迎えすることができた。多くのゲストは、体験型の体質改善プログラムを希望される。気持ちのいいケアをたくさん経験し、健康食が予想に反してとても美味しく、メニューもバリエーション豊富なことを知り、さらにセミナーで得た知識を家に持ち帰ってもらっている。

その後、自宅でセルフケアを続けてくれたゲストから、定期検査でがんの状態がよくなったという報告をいただくことはめずらしくない。中には奇跡レベルの改善を実現した方もいる。そんなとき、僕は健康ホテルを作るというチャレンジをして本当によかったと、嬉しい気持ちでいっぱいになる。

あなたは、がん患者は真面目におとなしく暮らさなければいけないと思い込んでいませんか？　そんなことは決してない。新たな生きがいをみつけ、大きなチャレンジをすることで、予想もしなかった幸せが返ってくることもあるのだ。

レックス・シャムレッフェル、ある国の公爵になる

息子のレイモンドが僕のホテルにやってきたときのことだった。僕が何気なく伯爵や男爵など貴族の話をしていたら、スマートフォンをいじっていたレイモンドが「この国の公爵や伯爵、男爵なら、お父さんもなれるかもしれないよ」と言ってきた。

それは「Principality of Sealand」、シーランド公国という国だった。詳しく調べてみると、それはなかなか愉快な話だった。

シーランド公国は、イギリス沖10キロメートルの洋上に位置する人工島、もともとは要塞だ。第二次世界大戦中、ブリテン島の沿岸一帯にイギリスが作った防衛拠点のひとつで、海から突き出た2本の柱の上に居住棟と砲台が作られ、海軍の兵士

が駐在していたという。

結局この砲台は一度も使用されることなく、戦争が終わると20年以上、放置されていた。その後は沿岸の住民が勝手にラジオ放送局として使ったりしていたが、あるとき元陸軍少佐だったイギリス人とその家族が占有して、国家として独立すると宣言したのだ。

イギリス政府は立ち退かせようと裁判を起こしたが、このとき裁判所は、「シーランドはイギリスの領海外」であり、「今まで周辺各国も領有権を主張してこなかった」ため、イギリスの法律は及ばないとしたのだ。

その後シーランド公国には、憲法や国旗、国歌も制定された。最新の情報では、国民総人口は27人。可愛らしい国だ。

世界で爵位がある国は29か国。日本も皇室があるので、そのひとつとされている。僕は「領土を手に入れて申請すれば、シーランド公国の爵位がもらえるかもしれないよ」というレイモンドの話に大いに心が惹かれた。けれど、妻の公子が大反対したのでいったんはあきらめていた。

だが思わぬことに、その公子が後に乗り気になってくれたのだ。僕のホテルに、ゲストとしてある美術商が訪れたことが影響したのかもしれない。彼は、世界の王侯貴族が所有していたような骨董的、美術的価値のある宝石をあつかっていた。また公子は日経新聞日曜版の「フランス貴族のエシカル（倫理的）な暮らし」という記事を読んでいたから、それにも影響されたのではないかと僕は推測している。

そこでまず試しに、僕らはレイモンドに申請手続きをさせることにした。爵位には、上位から公爵、侯爵、伯爵、子爵、男爵とある。シーランド公国では、公爵、伯爵、男爵、そして騎士団を募集していた。レイモンドは控え目に男爵の申請をし、首を長くして返事を待っていた。するとあっさり、承認の報せが届いた。

僕は思い切って最高位の公爵の申請申し込みをした。所定の手続きを終え、ひと月ほど待っていると、証書など書類がどっさりと送られてきた。

その中でもっとも重要なのは、爵位の証書だ。上部中央には王家の紋章が鮮やかに描かれている。文面を見ると、僕が王室から公爵の爵位を賜ったと記され、プリンス・マイケルの署名がある。「Duke（公爵）Rex Schaumleffel」という称号を見て、僕はウキウキと楽しくなってしまった。「公子、見てごらん。僕は公爵、公子は公爵夫人だよ」、ふたりで証書を眺めながら大笑いだ。

そのほかの書類にもシーランドの紋章が描かれていて、「1967年建国の独立主権国家、シーランド公国」「リージェント・マイケル王子および王室」と記されている。

分厚いファイルに収められた文書は、国家の成り立ちなど国の歴史をはじめ、国土の位置、面積、人口、通貨などの基本情報、政府組織図、僕が所有した土地の権利書と地図、パスポートや海外市民権の案内、公国と王家の写真、そのほか切手や建国50周年記念硬貨、Tシャツ、マグカップなどグッズ通販の案内もあった。

ちなみに僕の領土は海の一画、30センチ四方の広さだ。地図には、その場所が緯度経度とともに示されていた。猫の額よりはちょっと大きいけれど、領土と呼ぶには気が引けるサイズだ。でも僕は大きなロマンを買うことができたと感じている。あなたも月の土地が買えるという話を聞いたことがあると思う。恋人や妻、子ども名義で月の土地を買って、権利書をプレゼントして一緒に月を眺める。そんなロマンティックな贈り物に使われることが多いという。それと同じように、ひとつの夢を買ったのだ。

ふとしたきっかけで公爵になる。こんな楽しみも、仏様が与えてくださったものかもしれないな、と感じて僕は手を合わせ感謝している。

家族の気持ちを盛り立てた妻の挑戦

公子が浮かない顔をして「いろいろなことに自信がなくなった」とこぼしたとき、

僕は「これは彼女の一大事だ」と思った。

公子はいつもエネルギッシュでよく笑う、前向きな女性だ。家の事業やロータリークラブの活動、そして家事をおこないながら、毎日、僕のことを献身的に支えてくれている。その公子が、弱音を吐いているのだ。適当に慰めたり励ましたりしてやり過ごすわけにはいかない。

公子の気持ちを聞いて、自信を取り戻すためにできることがあれば、ふたりで一緒にやっていきたいと思った。そして神さまにも、もちろんお願いをした。「公子が自信を取り戻して、毎日、満たされた思いで過ごせるようにしてください」とお祈りをしたのだ。


するとしばらくして、「ミセスジャパンの静岡コンテストに出場しませんか?」というお誘いが、公子のもとに舞い込んできた。これは「ミセスワールド」というコンテストの日本大会の、さらに前段階にあたる地方大会ということだった。

詳しく聞いてみると、このコンテストは出場者の外面的な魅力だけをみるのではなく、審査基準のひとつは「本人の人生のストーリー」、つまりこれまでに培ってきた経験や感性を、その人の魅力として審査するという。そしてもうひとつの審査基準が、「女性としての自信」だった。まさに公子が今、直面しているテーマそのものだ。

僕は一も二もなく、公子に「ぜひ出たらいいよ」と勧めた。公子は人間的に魅力あるミセスとして評価される。僕はそう信じて疑わなかったし、これは公子にとって、またとない自信回復のチャンスになると思ったのだ。

応募資格は結婚しているか、結婚の経験があって子どもがいる女性。ヤングミセス部門は25～42歳、クラシックミセス部門は46～69歳だった。まずは全国6か所（2020年現在は12か所）で開催される地方大会のひとつ、静岡大会に出場し、見事、選ばれると全国大会、そして世界大会に出場することになる。静岡大会は、この年から新たに開催されることになったので、記念すべき初代ミセス静岡を選出することになる。

実はこのとき僕たちはひとつ勘違いをしていて、応募資格は59歳、つまり公子にとってはこの年が最後のチャンスだと思い込んでいた。そして結局、この勘違いもひとつの後押しとなって、公子はエントリーすることにした。

最初におこなわれたのは書類審査。これをスムーズに通過し、続いて面談を受け、公子は無事、20名のファイナリストに選ばれた。これだけでも素晴らしいことだ。正式な通知とコンテストの詳細な説明書類を受け取り、公子はスピーチやウォーキングの練習、ドレスの準備にとりかかった。

自信喪失に悩んだ妻が勝ち取った〝ミセス静岡グランプリ〟

本番のコンテストは3月、伊豆の来宮（きのみや）神社の緑に囲まれた屋外ステージで、鳥のさえずりが聞こえる中、おこなわれた。オープニングではフラメンコ舞踊や過去のクイーンたちのランウェイウォークが華やかにおこなわれ、なかなか壮観だった。僕ら応援団が暢気にお祭り気分を楽しんでいたこのとき、きっと公子は心臓がつぶれそうに緊張していたことだろう。そしていよいよ、審査が始まった。

出場者は、普段は普通の主婦、普通のお母さんとして過ごしながら、仕事や趣味、奉仕活動に精を出している女性たちだ。そんな彼女たちが、ドレスを身にまとい、晴れ舞台に立つ。クラシックミセス部門に出場した公子は、最初の審査では黒いワンピースという指定に沿って、ノースリーブの衣装を着て登場した。

緊張した様子ながら、背筋を伸ばして胸を張り、堂々とステージを歩く姿は立派なものだった。この審査ではウォーキングとポージングをしてマイクの前で名前をいう程度なので、審査としては入り口だ。でもこの時点で、公子にはユニークな点が光っていた。

こういったミセスコンテストでは、一般的な出場者はより若々しく見えるようへアメイクや振る舞いに気をつける。ところが公子は髪の毛の白髪を染めず、そのままにしたグレイヘアで出場したのだ。とても公子らしい表現だった。

続いての審査は、短い自己紹介のスピーチがあった。イブニングのロングドレスを着た出場者たちは、娘さんの闘病生活を支えながら勇気をもらったという話や、地元の文化振興活動に尽力しているなどの話をしていた。どの出場者も、素敵なミセスたちだった。

そんな中、深紅の艶やかなロングドレスをまとった公子が、先ほどとは見違えるように颯爽と登場した。そして優雅でエネルギッシュな身振りで健康養生ホテルを経営していることと、これからの人生で新しいチャレンジをしていく決意を語った。

このコンテストで、公子は見事に静岡大会のグランプリを獲得した。結果発表では、さまざまな賞の受賞者の名前が次々と呼ばれ、公子は取り残されていた。見ているこちらもやきもきしたが、最後の最後、グランプリの発表で、公子の名が呼ばれたのだ。白髪のままで出場し優勝を果たしたミセスは、公子が史上初めてだという。これはあっぱれなことだった。

その2か月後、公子は北海道のキロロリゾートでおこなわれた、日本大会出場者のためのプレミアムキャンプを経て、6月に日本大会のステージに立った。このときにはグランプリを獲ることはできなかったが、「最優秀トラディショナルコスチューム賞（SUPREME TRDITIONAL COSTUME）」と、「最優秀フレンドシップ賞（SUPREME FRIENDSHIP）」のふたつの賞を受賞した。

公子が得たのは、もちろんミセス静岡というタイトルだけではない。そのプロセスで自分の人生や普段の生活を振り返り、自分という存在の価値を、再確認することができたと思う。希望どおり、自信を取り戻すことができたのだ。

振り返ると、公子が望み、僕が祈り、ミセス静岡の話が寄せられた。そしてその機会をつかんで懸命に頑張った結果、公子の願いはかなえられた。公子を精一杯称えるとともに、僕は神さま仏さまにもお礼の祈りを捧げた。我が家がひとつになって大いに盛り上がる、最高のイベントになった。

祈りは、かなうことが許されたときにかなう。神さま仏さまの御心に沿った願いであるときにかなうのだといわれる。僕ら家族が得たものや、それにどんな価値や意味があったかを思うと、祈りの法則、願望実現の法則はあるのだな、と実感するような出来事だった。

第8章

楽しい〝死のプラン〟〝死後のプラン〟を練ってみよう

自分なりの死生観を持てば死は恐くなくなっていく

あなたは自分の存在の本質は、何だと思っているだろう？

「肉体が死んでしまえば脳も機能しなくなって、考えることなどできないはずだ。だから肉体が死ねば、その人は消滅してしまう」、そう考える人がいるかもしれない。

その一方、「人間には魂がある。死んでも魂として存在し続けるに違いない」と思っている人も、たくさんいると思う。

では、真実はどうだろう？　死んだ後、人はどうなってしまうのだろう？

もちろん、誰にも正解はわからない。この世に生きている人は、死んだ経験がない。僕らが輪廻転生していると考えても、以前に死んだときのことを記憶している人はいないと思う。

死生観というものは人生を送る中で、自分自身の経験をもとに、知識を得ながら、少しずつ固めていくものだと思う。自分なりの死生観を持つことは大切だ。命について揺るぎない考えを持っている人は、無駄に死を恐れない。もちろん、自分が経験したことがない死を迎えるわけだから、怖い思いは残る。けれど、勝手な思い込みや知識不足によって、過剰に恐れることはなくなっていく。

たとえば、自分の経験から「死んでも魂は残る」という死生観を持っている人は、「あの世で、先に旅立っていった懐かしいお父さん、お母さんが待っていてくれる」「また会える」と思い、安心して逝くことができるかもしれない。

またカトリック教徒の人は、「病者の塗油の秘跡」「ゆるしの秘跡」「聖体の秘跡」を受けることで、「死後、神さまの御許に行くことができる」と確信し、安心することができるだろう。

そんな自分らしい死生観を見つける上で参考になるのは、身近な誰かを見送った体験など、自分自身の人生経験がいちばんだと思う。

そのほか、著名な人々が死について語った言葉がさまざま残されているし、世界中の宗教は、それぞれ「死後の生」を説いている。また、死に切ってはいないけれど、一度死亡宣告を受けた後に生き返った人々の「臨死体験」も、たくさんのケースを本で読むことができる。

そういったものに触れながら、自分のこころがピンとくるものを見つけていくといいだろう。


死に関するささやかな教えが、気持ちを楽にしたり、生きる支えになってくれることもある。たとえば、ヘミングウェイは「人は死ぬ。だが死は敗北ではない」と、力強く説いている。そしてマルチン・ルターは「死は人生の終末ではない。生涯の完成である」と語っている。さらに日本語の「死生観」という言葉を作った上智大学名誉教授のアルフォンス・デーケン先生は「人間の死亡率は１００％。いつの日か、かならずみんなが経験する当たり前のイベントです」と語っていた。

死に近づいていくことを実感すると、不安や恐怖とともに、敗北感や孤独感、絶望感にさいなまれることもある。けれど、こうした言葉がこころの緊張をほぐしたり、考え方を前向きにすることもある。

またハイデガーは「人は、いつか必ず死ぬということを思い知らなければ、生きていることを実感できない」と言っている。余命宣告を受けた僕には、彼の言わんとしていることがよくわかる。山本周五郎も「人間というやつは、いま死ぬという土壇場にならないと、気のつかないことがいろいろある」と、似たことを記している。

そしてレオナルド・ダ・ビンチは「充実した一生は、幸福な死をもたらす」と言い残した。ならば、今の暮らしをもっと楽しく快適にして、いつか逝くときには満足したこころで幸せに逝こう、そんなふうにも思えてくる。

一方、死とは何か、死後の生は存在するのか、そういった疑問に対する答えを知りたいなら、臨死体験の経験談が役立つかもしれない。臨死体験については、1970年代に研究のムーブメントが起きて、たくさんの歴史的名著と呼ばれる本が出版されている。

医師のレイモンド・A・ムーディ・ジュニアが出版した『かいまみた死後の世界』、ほぼ同時期に同様の研究を進めていた医師、エリザベス・キューブラー・ロスの『死の瞬間』、さらに科学的な検証をこころみたケネス・リングの『いまわのきわに見る死の世界』、それから最初は死後の生に懐疑的だったのに、研究を進めた結果、信じざるを得なくなったというマイクル・B・セイボムの『「あの世」からの帰還』が、世界的に有名だ。

臨死体験に共通しているのは、心臓が止まり死亡宣告されても、意識は活動しているということだ。そして「まず心の安らぎと静けさを味わう」「次に耳障りな音が聞こえる」「暗いトンネルを猛スピードで抜ける」「肉体を離れる」「光の存在と出会う」「人生のすべてを一瞬にして振り返り、それらの本当の意味を知り、自分の言動をかえりみる」という経験だ。

また本に登場する体験者たちは、口をそろえるように「生き返った後は、死ぬことがひとつも怖くなくなった」と語っている。あちらは、どうやらいいところらしい。そんなふうに思えるだけでも、気持ちが軽くなる。

死についての知識は、豊かに生きるための教養だ。そして無駄に恐れずそのときを迎えるための支えになる。あなたも気持ちが向いたときに、死の教養を身につけてみてはいかがだろう？

死の深刻さを打ち崩した母の軽やかなひと言

牧師として、僧侶として、僕は人間の死と死後の生について、教えを得ている。

それらはとても大切なものだけれど、振り返ると、本心から確信できる死生観は、やはり経験から得られたもののように思う。

僕はがんの宣告を受け、このままでは余命が半年だと知って絶望的な気持ちになったとき、担当の看護師さんからひとつの提案をされた。

「この病院にはスタッフとしてチャプレン（聖職者）がいるんですよ。チャプレンとお話しになりますか」ということだった。最初は「そんなことは必要ない」と思った。でも実際に精神的ショックを受けてもいたし、尋ねたいこともいくつかあった。そこで「何ごとも経験だ」と思い直し、病室にチャプレンを呼んでくれるようお願いした。

この頃、僕の母は89歳で、軽い認知症が出始めている状態だった。その母に自分が末期がんで、もう余命が尽きかけていると話したほうがいいのか、チャプレンに相談したいと思ったのだ。同じように、親戚にはどの程度話したほうがよいのか、友人知人にはどうするべきかと、考えあぐねていた。

僕は包み隠さず、すべてを話してしまいたい性格だ。それに言わずにいると、もし体調が悪くてお誘いを断ったりするとき、誤解されて関係が疎遠になってしまう可能性もある。だから話すべきだろうと考えていたが、その一方、こういった深刻な話を聞かされた人は、精神的に負担に感じるかもしれないな、と気にもなっていた。


部屋を訪ねてくれたチャプレンに、僕はこれらのことを相談した。すると、「もし親しい人々に言わなかったら、彼らは後でわかったとき、なぜ話してもらえなかったんだと悲しまないでしょうか？」と問いかけられた。僕はその言葉に納得するところがあり、母や親しい人々に、僕の病気を伝えることにした。

もちろん母に話すのは、気の重いことだった。日本には「逆縁の不幸」という言葉もある。逆縁の不幸とは、本来、後に亡くなるはずの人間が先に亡くなってしまうことで、たいていは子が親より先に亡くなることを言う。親にとって非常につらい、起きてはならないこととされている。

ところが母に告白したら、思わぬ反応が返ってきた。母は「あら、そうなの。わたしとあなたの、どちらが先に逝くかしらね」と軽い感じで言われたのだ。自分自身が89歳ともなると、生き死ににについても達観してくるのだろう。

いずれにしても僕は、この言葉のおかげでずいぶん気持ちが軽くなった。母が酷く哀しんで心を痛めることがなかったのも安心できたし、母は死について、しかも自分の息子の死について、こんなに自然な受け止め方をしたのだ。

僕はあらためて、死は誰にも訪れる自然なことなのだと確認すると同時に、死に対する考え方や姿勢によって、死への恐怖が異なることを、ありありと知ることができた。

死をどうとらえるか——。これは、健康であるなしにかかわらず、すべての人にとって大切な、生きるテーマだと思う。

人生のエンディングを見つめ、より幸せに生きるために

自分は何のために生きるのか。自分にとって幸せとは何なのか――。「自分のことなど自分がいちばんよくわかっている」と思い込みがちだけれど、実は社会通念や子どもの頃、親に言い聞かされたことに惑わされて、自分の本心に気づいていない人も多い。

こんなときに役立つのが、第1章でお伝えした「死ぬまでにしたいことリスト」というワークだ。振り返ると、自分のこころと人生、死をみつめるプロセスでさまざまな気づきが得られ、予想以上の収穫があった。

そこでホテルを訪れたゲストの方々にも、希望に合わせておこなうことがある。自分が置かれている状況にモヤモヤした思いを抱えて苦しんだり、混乱している人には、このワークがよい助けになることが多い。

「そんな作業は憂鬱だ」「余計に気持ちが滅入ってしまう」と思うかもしれない。ところがやってみると、意外に楽しいものだ。というのも、このワークは好きなこと、したいこと、かなったら嬉しい願い事について、あれこれ思いを巡らせる作業だからだ。

僕のケースでいうと、いざリストを作ろうとすると、自分が死ぬまでにしたいことは、そう多くは見つからない。考えて、考えて、ようやく14個になった。「時間が限られていて、残された時間は20年も30年もあるわけじゃない。つまらない要望は捨てて、本当に大切な望みだけをかなえよう」、そう考えると、ゆずれない願いというものは限られてくる。

逆に考えれば、この作業で「本当に大事なこと」が明確になる。自分の人生にとって本当に価値あるものは何なのかが、目の前に明らかにされるのだ。

こうして自分の本心と向き合うと、その後の人生の密度が変わってくる。そして同時に、自分が死んでいく可能性について、それほど恐怖しなくなっていく。この心境に到達することは、がんを治すためにも、できるだけ苦悩せず人生を幸せに過ごしていくためにも、とても大切なことだ。

僕はがんが発覚して人生が大きく変わった。そして本当に価値あることのために生きるようになった。そうしてみると、自分の人生がどれほどたくさんの恵みに満ちているかがわかる。人生に満足し、心残りや後悔もなくなっていく。

そんな心持ちになると、もう怖いものはない。日々、この世を深く味わって楽しみ、人さまに喜んでもらう活動に邁進するだけだ。こころが自由に、解放された感じになった。

「死ぬまでにしたいことリスト」は、このようにたくさんの効能がある。またこのほかに、少し視点を変えたワークとして、「自叙伝」や「自分史」を書いてみてもいいだろう。思い切って出版してもいいし、ノートに書き綴るだけでもいい。

僕はこの本で3冊目の出版になるけれど、自分の人生を振り返ると、これまでに得た幸せを思い起こし、再体験することができる。またささやかであっても、自分が人生でなしとげてきた成果をまとめると、これまでの人生への感謝と満足がこころに湧き起こってくる。さらに本を通して、誰かのこころをほっと安心させたり、意欲をかきたてたり、役に立つ情報を届けられるかもしれない。それはこの上ない喜びだ。

こころのとてもよい栄養になるし、これからのあなたの人生が、さらに深みを増した素晴らしいものになっていくと思う。あなたのこころやあなたの人生を綴ってみてはいかがだろう。

「理想の死に方」のプランを立ててみる

　こんな話をすると、少しびっくりされるかもしれないけれど、僕は自分の状態がいよいよ悪くなったときの、ひとつのプランを考えている。極限的な断食をして生き延びる作戦だ。

　僕はちょうど宣告された余命を超える頃、医師の石原結實（ゆうみ）先生が伊豆に開設した「ヒポクラティック・サナトリウム」の断食プログラムを受けた。

　断食は、たんに体重を減らしたり、スッキリ痩せて見た目をよくするためのものではない。からだに溜まったあらゆる老廃物、毒素をデトックスしてからだをリセットし、全身の機能を正常かつ活発にととのえるものだ。

　初体験の僕は、ここで１週間の断食をおこなった。断食が終わった後、回復食を食べてからだの機能を立て直す期間も含まれているので、なにも食べない日は正味

5日ということになる。

当初は「余命いくばくもないと宣告されている僕が、食べたいものも食べず我慢の日々を過ごすのはどうなんだろう」という思いもあった。ところが断食は不思議なもので、期間が長くなっていくほどつらさも増すかと思いきや、そうではなかった。いちばんつらいのは2日目、3日目で、4日目になると想像していたほど苦ではなくなる。そして最終日には「まだできるのに！」と断食の終了を残念に思うほどだった。

からだが日を追うごとに軽くなっていくのは快適で、実際に体調もよくなっていく。しかも「あと何日」というわかりやすい努力目標があって、実行し、成果を実感するというプロセスが楽しくなってくる。

味をしめた僕は、数か月後に今度は9日間のプログラムをおこなった。すると体調はますますよくなった。その後、あらたな「酵素風呂断食道場」を山形に見つけ、そこでは11日間におよぶ断食を敢行した。このときも、つらいどころか「このまま何も食べずに生きていけるんじゃないか」「仙人は霞（かすみ）を食べて生きるというけれど、本当の話かもしれない」と思うほどだった。

そして、こうした経験を積む中である情報と出合い、最終的な段階でがんと闘うひとつのアイデアを思いついたのだ。

ある資料に、人が栄養の供給を断たれると、自分のからだがどのような順番でエネルギーとして消費されていくかが書かれてあった。つまり、外から栄養をとれないとき、からだは生きるために自分のからだを食べる。もちろん生物として少しでも重要度の低いところから食べていき、大事な臓器や器官、組織には手をつけない。

その資料によると、最初は脂肪を食べ、その次に使っていない筋肉を食べ、その後は胃腸をはじめ、あまり使っていないものを順番に食いつぶしていき、最後まで残るのは脳と心臓だという。

断食の日数でいうと、始めてから8日目くらいまでは、生きるのに必要なエネルギーの90％以上を、からだに蓄えた脂肪からとるという。そして9日が経過する頃になると、40％以上を脂肪以外のたんぱく質などからも摂るようになるといわれている。

それを知って僕は思った。こんな窮地に陥って、がんを食べ残すはずはない。命の危機が迫っているときに、がんを養っている余裕などないのだから――。

そこで僕は、いよいよとなったら、最終手段として骨と皮になるまで断食をすればいいかな、と考えたのだ。がんは生き残れず、僕は生き残る。このアイデアを僕はとても気に入った。そこで実現できるかどうか、じっくり検討した。

まず、脂肪や筋肉は落ちてもいいとして、消化器官が回復不能になってしまっては困る。だから断食期間中も最小限、胃腸を動かしておくために、ビタミン、酵素、ミネラル、そして生野菜ジュースは摂ろうと思っている。

次に考えたのは、断食の極限日数だ。それを知るため、まずは今ある体脂肪と筋肉で、どれだけ生きられるのかを計算した。1キロの脂肪は7700キロカロリーを貯蔵しているので、まず家の体重計で体重と体脂肪率を測る。そして体重×体脂肪率で脂肪の重量を出し、それに7700をかける。これが、脂肪が蓄えているカロリー数だ。

同じように筋肉は1キロあたり、4000キロカロリーを貯蔵している。筋肉量を正確に測定することはできないので、体重から脂肪を引いた数字の半分を筋肉と考える。それに4000キロカロリーをかければ、全身の筋肉が貯蔵しているおおよそのカロリー数が出る。

この脂肪と筋肉が蓄えているカロリー数を足した総カロリー数を、1日の消費カロリー数で割れば、何日生きられるかがわかるというわけだ。

成人男性の1日の必要摂取カロリーは2500、女性は2000とされている。でも僕は家で養生生活を送っているので、消費カロリーは低いはずだ。医師の先生によると、断食中はさらに消費カロリーが減るので、1日1300キロカロリー程度でしょうということだった。この数字をもとに計算すると、僕の場合は79日だった。ちなみに断食に入ると、早い人では28日、遅い人では90日くらいで死んでしまうというデータがある。一般に「人は空気がなければ3分、水がなければ3日、食べ物がなければ3カ月で死ぬ」といわれるけれど、それも案外、正しい話かもしれない。

ただし、この断食を実行するとき、脂肪や筋肉は落ちてもいいけれど、内臓に回復不能のダメージをあたえてしまってはいけない。だから僕は腫瘍内科の主治医に、経過観察のためのCTを撮ってもらう約束をしてある。

でも、そんなに衰弱した状態で病院に行ったら、普通だったら病院側は僕を強制的にでも入院させて、栄養剤の点滴を打つと思う。それを断固、断って自宅に戻らなくてはいけない。たとえ今は了承してくれている主治医も、いざとなったら「命にかかわる状態ですから、ご自宅にお帰しすることはできません」「院長から許可がとれません」と言い出すかもしれない。

それを防ぐため、あらかじめ弁護士に書面を作ってもらうことを考えている。そして病院に行く当日は、家族はもとより、屈強なボディガードを2〜3人従えて乗り込もうと思っている。これで無理やり入院させられることはないだろう。

また、これほど厳しい断食の後は、回復に時間がかかると思う。アウシュビッツ収容所から解放され、骨と皮ばかりにやせ細った人々は、回復するのに2年かかったという。もちろんそれも覚悟している。重湯、おかゆ、野菜スープを段階的にとりながら、身体機能のリハビリテーションをおこなおう。

さらに、もし断食のやめ時を判断しそこなって死んでしまっても、僕は僧侶だから、いい言い訳ができる。断食療法に失敗したことはふせて、葬儀では公子から参列者の皆さんに、こう話してもらうのだ。

「夫は僧侶としての尊い修行に入り、即身仏となりました」。負け惜しみだけれど、きっと参列者は神妙な顔をして手を合わせてくれるだろう。

ここで断食のもうひとつ重要な側面についてお話ししよう。

お釈迦さま、イエス、モハメッド。彼らは全員、40日におよぶ断食をおこなって、その後、悟りを開いている。これは一体、何を意味しているのだろう?

そう疑問に思って調べると、断食は精神にも大きな影響をおよぼすことがわかった。脳のシナプスを増やすのだ。これによって、脳の神経伝達がいっそう活発になる。

そもそも人は普段、脳の機能の3%ほどしか使っていないという。それがもし4%使えるようになったら、その人はアインシュタイン級の天才的な業績を残せるといわれている。これを3%に抑えている制限装置が、人がいのちの危機を迎えたとき、解放されるという説がある。

そんな話を聞いたら、ますます極限的な断食をやりたくなってしまう。自分の精神に何が起こるのか。僕のような人間でも悟ってしまうのだろうか? そんなふうに、楽しみな気持ちすら湧いてくる。

ちなみにお釈迦さまもイエスもモハメッドも、断食をして悟りを得た後、精力的に布教活動をおこなっていた。きちんと管理をすれば、断食でからだが壊滅的に破壊され、廃人のようになってしまうことはないはずだ。だから僕も彼らにならい、連続40日間の断食をおこなおうと思っている。

僕のプランは、いささか突飛に思えるかもしれない。でも、いざというときに備えて、ちょっと楽しみなこんなプランを持っているだけでも、心強さが生まれるものだ。あなたも何か、ワクワクするようなプランを練ってみるといいかもしれない。

亡くなった母がくれた約束どおりのプレゼント

僕は人間の本質について、そして死後の生についてヒントを示してくれるような、貴重な体験をした。旅立った母にまつわるものだ。

僕の母は、２０１８年の4月1日に97歳で亡くなった。実はその前に、僕は母にひとつのお願い事をしていた。

「いつか亡くなったら、天国に行く前に、僕にサインを送ってね。白い花を咲かせてもらおうかな」と頼んだのだ。家の庭には白い花などほとんどないので、いい合図になると考えたのだ。そのとき母は「ＯＫ、わかったわよ」と笑顔で請け負ってくれた。

そしてある夜、母は平和に亡くなった。その翌朝のことだ。お風呂に入っていたら、窓から見える庭に、白い花が一輪、咲いているのが目に入った。そのときは、

「僕が母に頼んだのは確かに白い花だけれど、偶然ということもあるよね」、その程度に受け止めていた。

そころがその後、庭では白いユリが咲き、アヤメやツツジまでが白い花を咲かせたのだ。さらには雑草まで白っぽい花がつき、庭は白い花だらけになった。「これは母からのプレゼントだな、約束を果たしてメッセージを送ってくれたんだ」。白い花々で埋められた庭は、僕がそう納得するのに充分な光景だった。

その後四十九日を迎えた頃のことだ。四十九日は亡くなった人が極楽浄土へ上るか、地獄に落ちるか、あるいは生まれ変わるための準備に入るか、そういった大事な節目とされている。

その夜、僕は自分の健康ホテルに滞在していて、母が亡くなった夜8時を前に、母のためにお祈りをした。手を合わせながら、母が無事に極楽浄土に行けるよう祈ったのだ。そして母に向かって「今はまだ、魂がこの辺りにいるよね。もし極楽浄土に行けたら、今度は合図として金色の花を咲かせてね」とお願いした。

金色の花なんて、自然界には存在しない。僕もずいぶん無茶な頼み事をしたものだ。その後1階に降りると、ちょうどロビーに置いてある大型のホールクロックが、ボーンボーン、と8時を告げた。母が旅立った時間だ。

そう思いながら自分の部屋に入り、少し雑事をしようとノートを開くと、金色の花が目に飛び込んできた。なぜかノートに布製のボトルカバーが挟まっていて、そこに金色の花が刺繍されていたのだ。

自分ではそんなところに挟んでおいた記憶はない。でも目の前には確かに、母に頼んだ「金色の花」がある。僕は「魂は存在するんだな」「母は極楽浄土に行ったんだな」と、深く納得した。

今では魂の存在も、死後の生も、まったく疑っていない。僕がいつか旅立つときがきても、あちらでは父や母が迎えてくれる。そして、僕はこちらに残った家族に、母と同じようにサインを送ることができる。だから僕は家族と、先に死んだ人はこんなサインを送ろうね、と約束をしている。

死んでいくのは、この世との別れ、残していく人々との別れ、自分の人生との別れという悲しい一面がある。でも、それだけではない。魂の故郷に帰り、やさしく温かく迎えられ、残した人々を見守ることもできる。新しい人生が始まるのだ。

おわりに

今年もいい季節がやってきた。

風が軽く柔らかくなり、山は青々として、可愛らしい桜の花も本当にきれいだった。末期がんで余命宣告を受けた頃には、自分がこんなに長く、新たな人生を充実して過ごすことができるなど、想像もできなかった。

これはほかでもない、多くの人のサポートがあったおかげだ。医師や看護師など医療スタッフはもちろん、さまざまな代替医療の専門家、健康機器のプロバイダー、ホテルのスタッフやゲスト、そして理解したり情報を寄せてくれたりした友人知人――。リストを作ったら、どこまで長いものになるのか想像もつかないくらいだ。

中でも言葉に尽くせない感謝を感じているのは、やはり家族だ。

長女のレイナは、妻の公子がおこなっていたインターナショナル・プレスクールの運営を、自分が代わると買って出てくれた。妻の公子が全面的に僕のサポートができるように、彼女の仕事を担ってくれたのだ。これは本当にありがたいことだった。

レイナはとてもユニークな個性をしていて、しっかり者だ。彼女には自分なりのかなえたい夢があったことを僕は聞いていている。それを脇に置いて幼稚園教諭と保育士の免許を取りプレスクールで研鑽を積み、今では立派にスタッフとして運営をおこなっている。成長していく姿を見ながら、僕は嬉しく、頼もしく思っている。

また彼女は僕の顔を見て、にっこり笑って「お父さん、なかなか死なないね」などと言ってくるけれど、これもまた僕を陽気な気持ちにしてくれる。


また次女のレイチェルは、僕と一緒にスペインまで食事療法を学びに行ったり、がん患者によいマニュアル・リンパ・ドレナージュの資格をとり、そばにいてサポートやケアをおこなってくれた。これも本当に幸せなことだ。

レイチェルはその後、よいご縁があって結婚し、あらたな家族となった皆さんに可愛がってもらっている。またふたりの娘に恵まれ、僕はお祖父ちゃんとしての幸せもあたえてもらった。

末っ子のレイモンドは、大学を卒業後、僕が経営していた会社に入って仕事を覚えてもらい、その後は理解ある同業者のもとで修行をした。今は僕の会社に戻り、社長を務めている。よいお相手とめぐりあい、結婚のときには「人前結婚式をしたいから牧師を務めてくれないかな」と僕に頼んでくれたのは、光栄なことだった。

レイモンドは、10年前に死んでいるはずだった僕が今でもこうして生きていることを、「タイムスリップしたみたい」と言っていた。長生きしてくれて単純に嬉しいよ、今でもこうして仕事のアドバイスをもらえて、とても特別なことだと感謝しているよ、と言ってくれ、僕も長生きできているありがたさを、改めて味わっている。

ちなみに僕はレイモンドから、ひとつの宿題を出されている。この先、僕が死んだとき、あちらからどんな合図を送ってほしいか尋ねたら、レイモンドは少し考えた後に「雪を降らせてよ」と言ったのだ！　僕が夏の盛りに旅立ったとしたらどうしたらいいのだろう？

でも、こんな難題をサラリとリクエストしてくるところが、なんとも彼らしい。

そして妻の公子だ。公子とは、かつて僕が英語教師をしている頃に、生徒として出会った。結婚してから、経営者になった僕は仕事に明け暮れ、家庭をかえりみることがほとんどできなかったのに、彼女は末期がんを患った僕のため、つねに寄り添い、僕の悲しみや怒り、苦悩、そして喜びや幸せを分け持ってくれた。

僕が放射線治療の影響で骨折したり、体調が悪くなったときには、世話をするのもかなりの重労働だったはずだ。それがどれほど大変なことだったかを思うと、感謝しているよ、愛しているよ、という言葉だけでは言い尽くせない思いがある。

公子が以前、インタビューを受けているとき、僕のことを「料理でもなんでもやってくれて、やさしい夫です」と話していたのを知って、僕は驚いた。僕は自分が家族に何もしてあげられなかったことを後悔していて、しかも僕が作った料理なんて、ステーキを焼いたりチャーハンを作るくらいのものだ。

彼女はそれを、こんなふうに思っていてくれたのだ。そして「レックスはいつも素晴らしい目標を持って、とにかく全力で打ち込むんです」と話していた。こんなふうに僕を受け止め、見守ったり支えたりしてくれていたのだ。

家族の愛情を受けて過ごすのは、本当に幸せだ。多くの人は意識していないけれど、末期がんになって人生や命を見つめてきた自分には、こういったことが決して当たり前のことではなく、大きな恵み、奇跡のような宝物だとわかる。

幸せも、奇跡も、遠くではなく身近にある。

あなたも過去を振り返り、また身の回りを見渡してみると、たくさんの幸せと奇跡に囲まれていると、気づくことができるだろう。柔らかな朝陽の心地よさ。からだを潤す一杯の水。新鮮で美味しい食事。愛する人との語らい。そして大切な人や出来事との出合い。生きがいに打ち込む深い喜び――。

あなたのこれからの人生が、いっそう健やかで、豊かな幸せに満ちていることをお祈りします。またお会いしましょう！

息子との約束

レックスは息子レイモンドとの約束を忘れてはいませんでした。亡くなってから49日後の事でした。ふわふわと空から白い物が庭一面を覆いました。それは息子と交わした「天国に行ったしるしに雪を降らせる」という事でした。熱海では珍しく雪が降り景色を白一色に染めたのです。私は思わず「ありがとう天国でお母さんに会えたのね」と空を見上げて言いました。さっそく子供たちにＬＩＮＥで景色を送り、レイモンドはThanks, I got it！と。

精力的に執筆活動を続けてまいりましたシャムレッフェル・レックスですが、
二〇二一年十一月十八日に永眠いたしました。
本書が最後の上梓となりましたが、これまで支えてくださいました多くの
皆さまに感謝を申し上げます。

シャムレッフェル公子

いのちの声(こえ)を聴(き)く

2024年4月8日　初版第一刷発行

著　　者　シャムレッフェル・レックス
　　　　　Schaumleffel Rex

構　　成　伴　梨香

発 行 所　関東図書株式会社
　　　　　〒336-0021　さいたま市南区別所3-1-10
　　　　　電話 048-862-2901　URL https://kanto-t.jp

印刷・製本　関東図書株式会社

　ISBN 978-4-86536-118-6